bibliolycée

Dom Juan

Molière

Notes, questionnaires et synthèses
établis par **Catherine DUFFAU**,
agrégée de Lettres modernes,
professeur en lycée

Conseiller éditorial : Romain LANCREY-JAVAL

Texte conforme à l'édition des Grands Écrivains de la France.

Crédits photographiques
Couverture : © photo Leemage. **p. 4 :** © photothèque Hachette Livre. **pp. 5-6 :** © photo Leemage. **p. 8 :** © photothèque Hachette Livre. **p. 19 :** © photothèque Hachette Livre. **p. 22 :** © photothèque Hachette Livre. **pp. 25, 38 et 43 :** © photothèque Hachette Livre. **p. 30 :** © photo Ph. Coqueux/Specto. **p. 37 :** *(haut)* © photo Marc Enguerand, *(bas)* © photo Courrault/Enguerand. **pp. 53, 66 et 71 :** © Giraudon. **p. 64 :** © photo Ph. Coqueux/Specto. **p. 81 :** © photo Agence Bernand. **pp. 85, 91 et 96 :** © photothèque Hachette Livre. **pp. 113, 129, 132, 139, 152 et 157 :** photo Collection Viollet. **p. 138 :** © photo Musée des Beaux-Arts de Strasbourg. **p. 149 :** © photo Marc Enguerand. **p. 150 :** © photo Ph. Coqueux/Specto. **p. 156 :** © photo Marc Enguerand. **p. 184 :** © Brigitte Enguerand. **p. 185 :** © photo Ph. Coqueux/Specto. **p. 186 :** © Marc Enguerand.

Conception graphique
Couverture : *Rampazzo et associés*
Intérieur : *Else*

Mise en page

ISBN 2.01.168422.6

www.hachette-education.com
© Hachette Livre, 2002, 43 quai de Grenelle, 75905 Paris Cedex 15, France.

Sommaire

Molière avec une plume d'oie.
Gravure d'Étienne-Frédéric Fragonard.

PRÉSENTATION

Qui n'a jamais utilisé ou entendu l'expression « c'est un Don Juan » pour désigner un séducteur, un homme à femmes, sans forcément savoir quelle est son origine ? Depuis son apparition, au début du XVIIᵉ siècle, dans l'œuvre théâtrale d'un auteur espagnol, Tirso de Molina, le personnage mythique de Don Juan hante la musique, la peinture, le cinéma et bien sûr la littérature de plusieurs pays européens. La personnalité et les aventures de ce héros varient ainsi que les jugements portés sur son comportement et les analyses de ses motivations.

Au XVIIᵉ siècle par exemple, Don Juan est considéré comme un homme qui défie Dieu, bafoue les lois sociales et mérite une punition. Le XVIIIᵉ siècle commence à voir en lui l'expression d'une vitalité qui refuse de se plier aux interdits entravant son désir de jouissance. L'époque romantique s'apitoie sur la souffrance, le mal de vivre que peut révéler une telle instabilité. Puis, il semble qu'au cours du XIXᵉ siècle, le défi religieux du comportement de Don Juan ne soit plus perçu et que le personnage perde progressivement sa

DON JUAN.

5

dimension tragique ou exemplaire. On analyse ses motivations sociales ou psychologiques. Le mythe perd peu à peu de sa force chez Flaubert, Maupassant et Colette avec *Rodolphe Boulanger*, *Bel-Ami* et *Chéri*. Toutefois, en 1958, Montherlant a tenté de redonner au personnage une dimension héroïque. Au cinéma, après que Roger Vadim a imaginé un Don Juan féminin incarné par Brigitte Bardot, Joseph Losey a réalisé une très brillante interprétation de l'opéra de Mozart. Tous ces exemples prouvent la vigueur de ce mythe et la force de ses échos.

Comment la pièce de Molière se situe-t-elle dans ce paysage ? Comment se fait-il qu'elle soit une des interprétations les plus célèbres du mythe ? Sans doute parce qu'elle fait partie des premières versions théâtrales fondatrices du mythe mais aussi parce que Molière y a mis tout son savoir-faire, épanoui à ce moment de sa carrière ; c'est aussi une pièce intrigante dont la forme et le ton ressemblent peu à ceux des autres grandes comédies de l'auteur. Enfin, elle a été écrite dans des circonstances particulières et Molière a chargé cette intrigue de sens secondaires qui donnent aux propos des personnages une certaine ambiguïté. La pièce a donc fasciné les plus grands metteurs en scène de la seconde moitié du XXe siècle qui ont multiplié les interprétations d'une grande originalité.

Molière, dramaturge du XVIIᵉ siècle

Molière, comédien et dramaturge

Un destin qui semblait tout tracé...

Le 15 janvier 1622, les Poquelin, tapissiers depuis plusieurs générations, font baptiser un fils prénommé Jean-Baptiste. Dix ans plus tard, sa mère meurt, laissant cinq enfants et en 1633, son père se remarie. De 1636 à 1640, le jeune garçon complète les rudiments d'instruction qu'il a reçus en famille au collège de Clermont, une prestigieuse institution jésuite, qui est aujourd'hui le lycée Louis-le-Grand. Son père qui espérait que Jean-Baptiste lui succéderait dans la charge de tapissier et valet ordinaire du roi lui fait prêter serment à cet effet à l'âge de 15 ans. Toutefois, le jeune homme part étudier le droit à Orléans et obtient sa licence en 1642. Cette année-là, il remplace son père auprès de Louis XIII qui se rendait à Narbonne et fait à cette occasion la connaissance de la troupe des Béjart qui accompagnait la cour dans ce déplacement. Ainsi s'enflamme son intérêt pour le théâtre déjà éveillé par son grand-père qui le conduisait souvent, quand il était enfant, voir les comédiens de l'Hôtel de Bourgogne.

Des débuts difficiles

La rencontre avec ces comédiens passionnés pousse le jeune homme à rompre avec ses projets antérieurs. Il décide de devenir tragédien. Il réclame sa part d'héritage et fonde avec Madeleine Béjart L'Illustre Théâtre, une troupe de dix personnes protégée par Gaston d'Orléans, le frère de Louis XIII. Il prendra, en 1643, la direction de cette troupe sous le pseudonyme de Molière.

La troupe ne peut s'imposer face aux professionnels réputés du Marais et de l'Hôtel de Bourgogne. Les dettes s'accumulent ce qui mène Molière en prison pour quelques jours en août 1645. Il décide de quitter Paris et se joint alors, avec Madeleine Béjart, à la troupe de l'acteur Dufresne, protégée par le duc d'Épernon, gouverneur du Languedoc. Il parcourt durant treize années le sud de la France en jouant devant des publics très diversifiés qui apprécient souvent plus la farce que la tragédie. Molière se forme au métier d'acteur mais aussi à celui de dramaturge car il écrit des canevas de farces ainsi que deux comédies : *l'Étourdi* et *Le Dépit amoureux*.

À retenir

L'apprentissage du métier Molière et sa troupe parcourent le sud de la France de 1645 à 1657.

Molière, directeur de troupe

Lors de la disgrâce du duc d'Épernon en 1653, Molière, qui a succédé à Dufresne, place la troupe sous la protection du prince de Conti. Cet homme cultivé, frère du Grand Condé, mène une vie de débauche et de plaisir. Il souhaite que Molière et sa troupe viennent distraire les états généraux du Languedoc convoqués à Pézenas. Mais, en 1657, il se convertit, abandonne la troupe et devient même un farouche adversaire du théâtre.

En 1658, Molière revient à Paris, loue la salle du Jeu de Paume et grâce à Monsieur, Philippe d'Orléans, le frère de Louis XIV, joue devant le roi une tragédie, qui ennuie, et une farce *Le Docteur amoureux,* qui enthousiasme. Molière a effectivement un extraordinaire talent comique. Il sait jouer de sa voix, de ses mimiques et de ses postures pour déclencher l'hilarité. Dès lors, il peut occuper le théâtre du Petit-Bourbon, ancienne chapelle jouxtant le Louvre, aménagée en salle de spectacle de la cour. La troupe de Molière s'y produit en alternance avec les comédiens italiens de Fiorelli (Scaramouche). Molière commence par des tragédies qui n'attirent personne puis il reprend ses premières pièces et se lance dans l'écriture de comédies plus ambitieuses.

À retenir

Le début de la gloire Molière, soutenu par le Roi, conquiert le grand public avec *L'École des femmes.*

Les premières grandes comédies

Les Précieuses ridicules en 1659, qui ironisent avec esprit sur une mode du temps, enchantent le public et confirment la faveur du roi. Mais les vieilles précieuses ulcérées font détruire le théâtre à l'insu du roi. Aussitôt, celui-ci installe Molière dans un théâtre, désaffecté depuis vingt ans, que Richelieu avait fait construire dans son palais cardinal et désormais nommé le Palais-Royal.

En 1662, Molière écrit une nouvelle pièce qui s'attaque à un sujet peu courant dans les comédies de l'époque : la condition féminine. *L'École des femmes* est un triomphe. Cette même année, Molière épouse Armande Béjart, jeune sœur ou fille de Madeleine.

En butte aux jalousies

Les dévots qui craignent l'influence sur le roi d'un auteur qu'ils considèrent comme libertin taxent *L'École des femmes* de pièce obscène et irréligieuse car elle piétine, selon eux, le respect dû au mariage. La protection du roi suscite, de plus, la jalousie des troupes rivales. Molière répond à ses détracteurs avec deux pièces qui les ridiculisent : *La Critique de l'École des femmes* et *L'Impromptu de Versailles*. Le roi confirme sa protection en acceptant d'être le parrain du premier-né de Molière, en février 1664.

Nommé responsable des divertissements de la cour, Molière réalise pour *les Plaisirs de l'île enchantée* avec lesquels Louis XIV inaugure les nouveaux jardins de Versailles, plusieurs divertissements comme *La Princesse d'Élide* qui mêlent texte, musique et danse en utilisant des machines qui permettent des effets spectaculaires.

Molière contre les dévots

Dans un tout autre registre, cette même année, il crée *Le Tartuffe* où il dénonce l'hypocrisie religieuse. Cette pièce indigne les dévots au point que le roi la fait interdire pour cinq ans.

En 1665, Molière réplique avec *Dom Juan*, comédie pour laquelle il utilise les machineries réservées jusque-là à la tragédie. Il est soutenu par le roi qui prend la troupe sous sa protection et lui accorde une pension de 6 000 livres. Pendant les deux années

suivantes, malade, il jouera irrégulièrement mais il conti-
nuera à écrire. Cependant, sans doute invité à laisser
se calmer la polémique, il exprime son amertume dans
Le Misanthrope, joué en 1666, qui précède de peu sa
séparation d'avec Armande Béjart. Puis, il tente de reprendre *Le Tartuffe* mais la pièce est à nouveau interdite.
En 1668, il crée deux nouvelles pièces à machines :
Amphitryon et *Georges Dandin.* Parallèlement,
L'Avare complète la série des comédies de caractère.
En 1669, l'interdiction du *Tartuffe* est levée et la pièce
remporte un très grand succès.

À retenir

**La mort
de Molière**
En 1673,
à la suite
d'une
représentation
du *Malade
imaginaire*,
meurt le plus
grand et
le plus fécond
des auteurs
comiques
français.

Les dernières œuvres

Molière élargit ses comédies de caractère vers une
satire des mœurs. Il réalise aussi des spectacles
ambitieux comme *Le Bourgeois gentilhomme,* une
comédie-ballet réalisée en 1670 en collaboration avec
le musicien du roi, Lully.

Sa maîtrise de l'intrigue s'exprime dans *Les Fourberies
de Scapin* en 1671, son esprit acerbe dans *Les Femmes
savantes* (1672). *Le Malade imaginaire* est sa dernière
pièce. Pris de convulsions au cours de la quatrième
représentation, le 17 février 1673, Molière meurt
quelques heures plus tard sans avoir pu se confesser
comme il le souhaitait. Louis XIV intervient pour que
son corps ne soit pas jeté à la fosse commune. C'était,
en effet, le sort réservé aux comédiens non repentis
car cette profession était considérée comme immorale
par l'Église qui leur refusait le rituel religieux. Molière
fut enterré de nuit mais en présence de huit prêtres et
d'une grande foule.

La France entre 1622 et 1673

Le contexte politique

Molière naît au début du règne personnel de Louis XIII (1617-1643). En 1610, Henri IV est assassiné. Le futur roi n'a alors que neuf ans et la régente, Marie de Médicis, est ignorante et incapable de poursuivre la restauration du pays après les guerres de religion. Les nobles prennent les armes et les protestants se préparent à des interventions militaires. La réunion des états généraux de 1614 et les efforts du conseiller Concini, assassiné en 1617, ne résolvent rien. La situation s'améliore grâce à Richelieu qui, ministre de 1624 jusqu'en 1642, va entreprendre la consolidation de l'absolutisme du pouvoir royal. Il freine les ambitions des protestants, aide Louis XIII à résister aux complots des grands aristocrates et même de ses proches : sa mère, son frère, Gaston d'Orléans, et son épouse, Anne d'Autriche. La centralisation, la police et le contrôle de l'opinion sont renforcés. L'économie est dynamisée mais les impôts sont gravement alourdis par l'entrée de la France, en 1635, dans le conflit européen qui opposait depuis 1618 les États catholiques et protestants. Richelieu meurt peu avant Louis XIII qui, sur ses conseils, avait demandé à la reine, Anne d'Autriche, de prendre Mazarin pour conseiller. L'Italien est habile mais impopulaire. La pression fiscale, conjuguée à de mauvaises récoltes et des épidémies, avait entraîné des révoltes paysannes puis des émeutes qui, se

À retenir

Un royaume déstabilisé
Richelieu, de 1624 à 1643, parvient à rétablir et à consolider le pouvoir royal.

conjuguant aux intrigues des Parlements et des grands seigneurs, aboutissent à la Fronde qui bouleverse la France de 1648 à 1653 mais échoue grâce à Mazarin.

Louis XIV est sacré en 1654. En 1659, il épouse l'infante d'Espagne, Marie-Thérèse d'Autriche, pour consolider le traité des Pyrénées qui avait mis fin à la guerre de Trente ans. Il n'exerce seul le pouvoir qu'en 1661, à la mort de Mazarin, malgré la résistance de sa mère, Anne d'Autriche, qui meurt en 1666.

À retenir

L'absolutisme à son apogée
Louis XIV concentre tous les pouvoirs au cours du plus long règne de l'histoire de France (1661-1715).

En 1663, le jeune roi exclut de son conseil tous les grands aristocrates et s'entoure de bourgeois, avec Colbert à leur tête. Ce dernier gouverne jusqu'en 1683, en s'appuyant sur une administration bien organisée dans les provinces. Il encourage le développement des manufactures et du commerce. Louis XIV mène de nombreuses guerres dont une expédition contre les Pays-Bas en 1672, nation très dynamique qui concurrence l'expansion française. La guerre acharnée ne désigne aucun vainqueur mais pousse Louis XIV à renforcer sa lutte contre les protestants et il révoque, en 1685, l'édit de Nantes signé en 1598 par Henri IV et qui avait mis fin à trente ans de guerres de religion. Il souhaite en effet prendre la tête d'une Église unifiée et, en évinçant le pape, parachever son absolutisme.

Le contexte social

La société du XVIIe siècle est organisée en trois classes pratiquement étanches et fortement hiérarchisées et au sein desquelles les conditions de vie peuvent être très différentes. La valeur essentielle n'est pas, comme de nos jours, l'argent mais la noblesse. La plus respectée est la noblesse d'épée, celle qui a été acquise par de hauts faits guerriers. Plus elle est ancienne, plus elle est respectable. Un autre mode d'anoblissement est l'acquisition de charges juridiques que les rois, pour aider au financement des guerres et des entreprises de prestige, vendent à de riches bourgeois désireux de changer de classe.

Les grands seigneurs se soumettent difficilement à l'autorité du roi, d'autant plus que les politiques de Richelieu et Louis XIII puis de Mazarin et Louis XIV visent à les évincer du pouvoir.

Versailles, une cage dorée

Louis XIV fait de Versailles un instrument d'aliénation de la noblesse rebelle. Il l'y attire en lui proposant une vie somptueuse mais ruineuse, en lui faisant miroiter faveurs et pensions, en créant d'incessantes rivalités par une étiquette minutieuse. Il accorde des privilèges de prestige : assister à telle ou telle activité de sa journée, s'asseoir sur tel ou tel type de siège en sa présence. Les grands féodaux sont ainsi coupés de leurs domaines et s'opposent au lieu de s'unir contre le roi.

L'économie se développe dans un système corporatiste très réglementé. De grandes fortunes bourgeoises se constituent. Cette catégorie sociale commence à souhaiter des responsabilités politiques en accord avec son pouvoir économique. C'est sur elle que s'appuie Louis XIV.

Depuis le début du siècle, la misère paysanne est épouvantable. La famine, due à des conditions climatiques défavorables, sévit.

La population dans son ensemble est décimée par les maladies. La mortalité infantile est considérable. La

À retenir

La société de cour
Le roi distribue privilèges et faveurs. Une étiquette minutieuse règle la vie des grands aristocrates sur celle du monarque.

grande peste de Londres, en 1665, est la dernière épidémie importante de cette maladie mais la variole, la dysenterie, le typhus ou la typhoïde font aussi des ravages. Des hôpitaux se créent mais ceux-ci servent moins à soigner qu'à recueillir les miséreux ou enfermer les marginaux et les déviants de tous types.

Émancipation et contrôle moral

Cette période est marquée par une certaine émancipation féminine dans les milieux privilégiés. Au début du XVIIe siècle, les précieuses avaient proposé un idéal féministe. Les filles de riches bourgeois peuvent épouser des nobles appâtés par leur dot. Mais un grand nombre de jeunes filles de l'aristocratie que l'on ne veut pas doter sont enfermées dans des couvents pour le reste de leur vie.

La compagnie du Saint-Sacrement est créée en 1629 par Condren et le jésuite Suffren. Cette société religieuse s'était fixé une mission sociale : celle de lutter contre l'impiété, l'immoralité et le protestantisme tout en opérant dans l'ombre. Elle se répandit dans toute la France. Le futur saint, Vincent de Paul, et des ministres comme Lamoignon et d'Argenson en firent partie. À partir de 1660, des abus la rendirent impopulaire et elle fut dissoute en 1665.

Le courant janséniste se crée autour de Saint-Cyran et des Arnauld. Il regroupe des intellectuels qui développent une conception religieuse pessimiste opposée à celle des jésuites et influencent Racine et Pascal. Manifestant des velléités de résistance à l'absolutisme, ils inquiètent le pouvoir et sont persécutés entre 1653 et 1669.

Les formes littéraires

Le début du siècle est agité et incertain et engendre une littérature aux formes diverses qui s'exprime entre autres dans les salons précieux*. Richelieu crée, en 1634, l'Académie française chargée de codifier la langue et de dynamiser la vie littéraire. La poésie s'épanouit dans la recherche de la virtuosité traitant de thèmes que l'on regroupera ultérieurement sous le mot baroque, comme l'instabilité, la métamorphose... Le roman apparaît sous des formes héroïques, précieuses (*L'Astrée* d'Honoré d'Urfé) ou burlesques* (*Le Roman comique* de Scarron).

Le théâtre développe des formes très diversifiées inspirées des modèles antiques mais les dramaturges ne se privent pas d'une certaine liberté. Corneille est soutenu par Richelieu, grand amateur de théâtre.

Entre 1660 et 1685, la littérature comme l'ensemble des arts suit des règles strictes édictées au nom de la bienséance, de la vraisemblance et du bon goût, considérées comme indispensables pour servir une esthétique fondée sur la raison, la mesure, l'universalité. Ces contraintes étoufferont sans doute de nombreux talents mais favoriseront l'expression d'auteurs éminents comme Racine et Molière pour le théâtre, La Fontaine et Boileau pour la poésie et Madame de Lafayette pour le roman.

> ## À retenir
> **Le classicisme**
> Toute la littérature est régie par un ensemble de règles visant à permettre d'instruire en plaisant.

L'art

Richelieu entend mettre les artistes au service de la gloire du souverain. Mazarin et Colbert, dans ce même

* : *Cf.* Lexique.

souci, encouragent le mécénat royal et créent d'autres académies, de peinture et de sculpture en 1648 dont la direction est confiée à Le Brun, d'architecture en 1671. De grands peintres comme Le Nain, Le Lorrain et Poussin s'illustrent dans les scènes de genre, les paysages et la peinture mythologique.

La musique polyphonique du siècle précédent est remplacée dans les milieux aristocratiques et précieux par le chant accompagné au luth. Les instruments se perfectionnent et les genres sacrés et profanes se diversifient. Le ballet de cour, très apprécié de Louis XIII comme de Louis XIV, prépare le succès que connaîtra l'opéra, genre importé d'Italie par Mazarin.

Le triomphe d'un style

Louis XIV souhaite mettre l'art au service de sa politique de prestige et la plupart des artistes voient leur fonction cantonnée à la décoration de Versailles selon des normes précises édictées par le pouvoir. L'architecture recherche l'harmonie dans l'ordre, l'équilibre. Les travaux commencés par Le Vau en 1661 seront poursuivis par Mansart. Louis XIV s'installe à Versailles officiellement le 6 mai 1682. Auparavant, il avait fait donner des fêtes fastueuses dans les jardins dessinés par Le Nôtre. Lully détient le monopole de la musique à la cour et impose des normes dictatoriales. Il s'oppose notamment à l'opéra italien et développe un opéra à la française dont la machinerie et l'apparat exaltent la grandeur du Roi-Soleil. On crée également de grandes œuvres religieuses où le faste l'emporte sur la prière.

À retenir

L'art au service du roi
La peinture, l'architecture et la musique exaltent la gloire du Roi-Soleil.

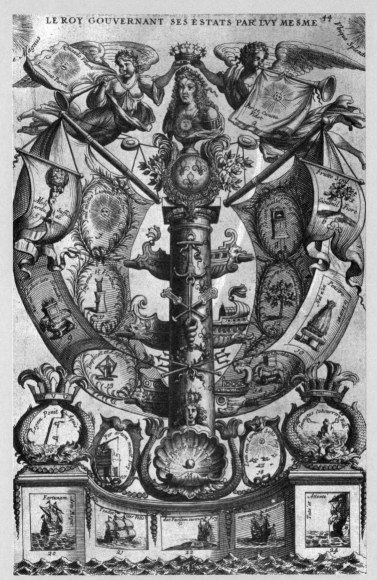

**En 1661, à la mort de Mazarin,
Louis XIV décide de gouverner seul, sans Premier ministre.**

Molière en son temps

	Vie et œuvre de Molière	Événements historiques et culturels
1610		Assassinat d'Henri IV. Régence de Marie de Médicis.
1617		Début du règne personnel de Louis XIII.
1622	Naissance de Jean-Baptiste Poquelin.	
1624		Richelieu, ministre de Louis XIII.
1629		Fondation de la compagnie du Saint-Sacrement.
1635		La France s'engage dans la guerre de Trente ans.
1636	Entrée au collège de Clermont.	Corneille, *Le Cid.*
1639		Naissance de Racine.
1642-1643	Fondation de L'Illustre-Théâtre Jean-Baptiste Poquelin devient Molière.	Mort de Richelieu et de Louis XIII. Régence d'Anne d'Autriche et de Mazarin. Le Nain, *Famille de paysans.*
1645	Début des tournées provinciales de Molière.	
1648		La Fronde (→ 1652).
1654		Sacre de Louis XIV.
1658	Retour de Molière à Paris.	*Le Festin de Pierre* de Dorimond et Villiers.
1659	*Les Précieuses ridicules.*	Traité des Pyrénées, fin de la guerre de Trente ans.
1661		Mort de Mazarin. Début du règne personnel de Louis XIV. Début des travaux du palais de Versailles.
1662	*L'École des femmes.* Mariage avec Armande Béjart.	Colbert, ministre. Mort de Pascal.

	Vie et œuvre de Molière	Événements historiques et culturels
1663		Les jardins de Versailles sont dessinés par Le Nôtre.
1664	Interdiction du *Tartuffe*.	*La Thébaïde*, première tragédie de Racine. *Plaisirs de l'Île enchantée* à Versailles.
1665	*Dom Juan*.	Peste de Londres. Mort de Poussin. Dissolution de la compagnie du Saint-Sacrement.
1666	*Le Misanthrope*.	Mort d'Anne d'Autriche. Boileau, *Satires*.
1668	*Amphitryon*. *Georges Dandin*. *L'Avare*.	
1670	*Le Bourgeois gentilhomme*.	
1671	*Psyché*.	
1672	*Les Femmes Savantes*.	
1673	*Le Malade imaginaire*. Mort de Molière.	Création de l'Académie d'architecture. Premier opéra de Lully.

LE FESTIN DE PIERRE.

Dom[1] Juan

ou

Le Festin de Pierre

Molière

PERSONNAGES

DON JUAN, *fils de Don Louis.*
SGANARELLE, *valet de Don Juan.*
ELVIRE, *femme de Don Juan.*
GUSMAN, *écuyer d'Elvire.*
DON CARLOS,
DON ALONSE, *frères d'Elvire.*
DON LOUIS, *père de Don Juan.*
FRANCISQUE, *pauvre.*
CHARLOTTE,
MATHURINE, *paysannes.*
PIERROT, *paysan.*
LA STATUE DU COMMANDEUR.
LA VIOLETTE,
RAGOTIN, *laquais de Don Juan.*
MONSIEUR DIMANCHE, *marchand.*
LA RAMÉE, *spadassin.*
Suite de Don Juan.
Suite de Don Carlos et de Don Alonse, *frères.*
Un Spectre.

La scène est en Sicile.

Scène 1

SGANARELLE, *tenant une tabatière* – Quoi que puisse dire Aristote[1]
et toute la philosophie, il n'est rien d'égal au tabac : c'est la
passion des honnêtes gens, et qui vit sans tabac n'est pas digne
de vivre. Non seulement il réjouit et purge les cerveaux[2]
5 humains, mais encore il instruit les âmes à la vertu, et l'on
apprend avec lui à devenir honnête homme. Ne voyez-vous pas
bien, dès qu'on en prend, de quelle manière obligeante on en
use avec tout le monde, et comme on est ravi d'en donner à
droit et à gauche, partout où l'on se trouve ? On n'attend pas
10 même qu'on en demande, et l'on court au-devant du souhait des
gens : tant il est vrai que le tabac inspire des sentiments d'honneur et de vertu à tous ceux qui en prennent. Mais c'est assez
de cette matière. Reprenons un peu notre discours. Si bien

notes ....

1. Aristote : un des plus grands philosophes grecs (384-322 av. J.-C.) qui n'a donc pu parler du tabac

importé en Europe à la fin du XVIᵉ siècle.
2. purge les cerveaux : dégage le cerveau en faisant

éternuer. Il s'agit de tabac à priser, râpé très fin et que l'on introduisait dans les narines.

donc, cher Gusman, que Done[1] Elvire, ta maîtresse, surprise de
notre départ, s'est mise en campagne après nous[2], et son cœur,
que mon maître a su toucher trop fortement, n'a pu vivre, dis-
tu, sans le venir chercher ici. Veux-tu qu'entre nous je te dise
ma pensée ? J'ai peur qu'elle ne soit mal payée de son amour,
que son voyage en cette ville produise peu de fruit, et que vous
eussiez autant gagné à ne bouger de là.

GUSMAN – Et la raison encore ? Dis-moi, je te prie, Sganarelle,
qui[3] peut t'inspirer une peur d'un si mauvais augure[4] ? Ton
maître t'a-t-il ouvert son cœur là-dessus, et t'a-t-il dit qu'il eût
pour nous[5] quelque froideur qui l'ait obligé à partir ?

SGANARELLE – Non pas, mais, à vue de pays[6], je connais à peu
près le train des choses[7], et, sans qu'il m'ait encore rien dit, je
gagerais presque que l'affaire va là[8]. Je pourrais peut-être me
tromper ; mais enfin, sur de tels sujets, l'expérience m'a pu
donner quelques lumières.

GUSMAN – Quoi ! ce départ si peu prévu serait une infidélité de
Don Juan ? Il pourrait faire cette injure aux chastes feux[9] de
Done Elvire ?

SGANARELLE – Non, c'est qu'il est jeune encore, et qu'il n'a pas
le courage...

GUSMAN – Un homme de sa qualité[10] ferait une action si lâche ?

SGANARELLE – Eh oui, sa qualité ! la raison en est belle, et c'est
par là qu'il s'empêcherait[11] des choses !

notes

1. Done : francisation du titre espagnol *Doña*, équivalent de « dame ».

2. s'est mise en campagne après nous : est partie à notre poursuite.

3. qui : ce qui.

4. augure : présage.

5. pour nous : le valet Gusman se sent personnellement concerné par les

relations entre Don Juan et Done Elvire, ce qui produit un effet comique.

6. à vue de pays : à première vue.

7. je connais à peu près le train des choses : je sais à peu près ce qu'il en est.

8. je gagerais presque que l'affaire va là : je parierais qu'il en est ainsi.

9. chastes feux : pur amour ; ce trait de langage précieux est comique dans la bouche du valet.

10. de sa qualité : de son rang. Un tel comportement est indigne d'un grand aristocrate tel que Don Juan.

11. s'empêcherait : s'interdirait.

GUSMAN – Mais les saints nœuds[1] du mariage le tiennent engagé.

SGANARELLE – Eh ! mon pauvre Gusman, mon ami, tu ne sais pas
40 encore, crois-moi, quel homme est Don Juan.

GUSMAN – Je ne sais pas, de vrai, quel homme il peut être, s'il faut
qu'il nous ait fait cette perfidie ; et je ne comprends point
comme, après tant d'amour et tant d'impatience témoignée,
tant d'hommages pressants, de vœux, de soupirs et de larmes,
45 tant de lettres passionnées, de protestations[2] ardentes et de serments réitérés[3], tant de transports[4] enfin et tant d'emportements
qu'il a fait paraître, jusqu'à forcer, dans sa passion, l'obstacle sacré
d'un convent[5], pour mettre Done Elvire en sa puissance[6], je ne
comprends pas, dis-je, comme après tout cela il aurait le cœur
50 de pouvoir manquer à sa parole.

SGANARELLE – Je n'ai pas grande peine à le comprendre, moi ; et
si tu connaissais le pèlerin[7], tu trouverais la chose assez facile
pour lui. Je ne dis pas qu'il ait changé de sentiments pour Done
Elvire, je n'en ai point de certitude encore : tu sais que, par son
55 ordre, je partis avant lui, et depuis son arrivée il ne m'a point
entretenu[8] ; mais, par précaution, je t'apprends *inter nos*[9], que tu
vois en Don Juan, mon maître, le plus grand scélérat que la terre
ait jamais porté, un enragé, un chien, un diable, un Turc, un
hérétique[10], qui ne croit ni Ciel, ni enfer, ni loup-garou, qui
60 passe cette vie en véritable bête brute, un pourceau d'Épicure[11],

notes

1. **nœuds** : liens.
2. **protestations** : déclarations.
3. **réitérés** : répétés.
4. **transports** : manifestations de passion.
5. **convent** : couvent.
6. **pour mettre Done Elvire en sa puissance** : pour se rendre maître de Done Elvire.

7. **pèlerin** : individu.
8. **entretenu** : parlé.
9. *inter nos* : expression latine signifiant « entre nous ». Sganarelle joue le personnage instruit.
10. **hérétique** : personne qui interprète de façon déviante certains préceptes religieux.

11. **Épicure** : moraliste grec (341-270 av. J.-C.) qui prescrivait de vivre selon les lois de la nature. Sganarelle croit à tort que ce philosophe nous pousse à suivre nos instincts les plus bas et à vivre comme le ferait un animal, un porc (pourceau).

un vrai Sardanapale[1], qui ferme l'oreille à toutes les remontrances qu'on lui peut faire, et traite de billevesées[2] tout ce que nous croyons. Tu me dis qu'il a épousé ta maîtresse : crois qu'il aurait plus fait pour sa passion, et qu'avec elle il aurait encore épousé toi, son chien et son chat. Un mariage ne lui coûte rien à contracter ; il ne se sert point d'autres pièges pour attraper les belles, et c'est un épouseur à toutes mains[3] ! Dame, demoiselle, bourgeoise, paysanne, il ne trouve rien de trop chaud ni de trop froid pour lui ; et si je te disais le nom de toutes celles qu'il a épousées en divers lieux, ce serait un chapitre à durer jusques au soir. Tu demeures surpris et changes de couleur à ce discours ; ce n'est là qu'une ébauche du personnage, et, pour en achever le portrait, il faudrait bien d'autres coups de pinceau. Suffit qu'il faut que le courroux[4] du Ciel l'accable quelque jour ; qu'il me vaudrait bien mieux d'être au diable que d'être à lui[5], et qu'il me fait voir tant d'horreurs, que je souhaiterais qu'il fût déjà je ne sais où. Mais un grand seigneur méchant homme est une terrible chose ; il faut que je lui sois fidèle, en dépit que j'en aie[6] : la crainte en moi fait l'office du zèle[7], bride mes sentiments[8], et me réduit d'applaudir[9] bien souvent à ce que mon âme déteste. Le voilà qui vient se promener dans ce palais : séparons-nous. Écoute au moins : je t'ai fait cette confidence avec franchise, et cela m'est sorti un peu bien vite de la bouche ; mais, s'il fallait qu'il en vînt quelque chose à ses oreilles, je dirais hautement que tu aurais menti.

notes

1. **Sardanapale** : roi légendaire d'Assyrie dont l'existence était dominée par la recherche acharnée du plaisir.
2. **billevesées** : propos stupides.
3. **épouseur à toutes mains** : homme prêt à épouser n'importe quelle femme.

4. **courroux** : colère.
5. **il me vaudrait bien mieux d'être au diable que d'être à lui** : il vaudrait bien mieux pour moi servir le diable que Don Juan.
6. **en dépit que j'en aie** : malgré tout.

7. **fait l'office du zèle** : remplace le désir de bien servir.
8. **bride mes sentiments** : m'empêche de dire ce que je pense.
9. **me réduit d'applaudir** : m'oblige à applaudir.

Scène 2

Don Juan, Sganarelle

Don Juan – Quel homme te parlait là ? Il a bien de l'air, ce me semble, du bon Gusman de Done Elvire ?

Sganarelle – C'est quelque chose aussi à peu près de cela.

Don Juan – Quoi ! c'est lui ?

90 Sganarelle – Lui-même.

Don Juan – Et depuis quand est-il en cette ville ?

Sganarelle – D'hier au soir.

Don Juan – Et quel sujet l'amène ?

Sganarelle – Je crois que vous jugez[1] assez ce qui le peut
95 inquiéter.

Don Juan – Notre départ sans doute ?

Sganarelle – Le bonhomme en est tout mortifié[2], et m'en demandait le sujet.

Don Juan – Et quelle réponse as-tu faite ?

100 Sganarelle – Que vous ne m'en aviez rien dit.

Don Juan – Mais encore, quelle est ta pensée là-dessus ? Que t'imagines-tu de cette affaire ?

Sganarelle – Moi, je crois, sans vous faire tort, que vous avez quelque nouvel amour en tête.

105 Don Juan – Tu le crois ?

Sganarelle – Oui.

Don Juan – Ma foi ! tu ne te trompes pas, et je dois t'avouer qu'un autre objet[3] a chassé Elvire de ma pensée.

---

notes

1. jugez : devinez.
2. mortifié : désolé.

3. un autre objet : une autre femme ; terme précieux.

Sganarelle et Don Juan,
mise en scène de Benno Besson (Créteil, 1987).

SGANARELLE – Eh ! mon Dieu, je sais mon Don Juan sur le bout
110   du doigt, et connais votre cœur pour[1] le plus grand coureur du
monde : il se plaît à se promener de liens en liens, et n'aime
guère à demeurer en place.

DON JUAN – Et ne trouves-tu pas, dis-moi, que j'ai raison d'en
user de la sorte[2] ?

115 SGANARELLE – Eh ! monsieur.

DON JUAN – Quoi ? Parle.

SGANARELLE – Assurément que vous avez raison, si vous le
voulez ; on ne peut pas aller là contre. Mais, si vous ne le
vouliez pas, ce serait peut-être une autre affaire.

120 DON JUAN – Eh bien, je te donne la liberté de parler et de me
dire tes sentiments.

SGANARELLE – En ce cas, monsieur, je vous dirai franchement
que je n'approuve point votre méthode, et que je trouve fort
vilain d'aimer de tous côtés comme vous faites.

125 DON JUAN – Quoi ! tu veux qu'on se lie à demeurer[3] au premier
objet qui nous prend, qu'on renonce au monde pour lui, et
qu'on n'ait plus d'yeux pour personne ? La belle chose de
vouloir se piquer[4] d'un faux honneur d'être fidèle, de s'ensevelir pour toujours dans une passion, et d'être mort dès sa jeunesse
130 à toutes les autres beautés qui nous peuvent frapper les yeux !
Non, non, la constance n'est bonne que pour des ridicules[5],
toutes les belles ont droit de nous charmer, et l'avantage d'être
rencontrée la première ne doit point dérober aux autres les
justes prétentions qu'elles ont toutes sur nos cœurs. Pour moi,
135 la beauté me ravit partout où je la trouve, et je cède facilement

passage analysé

notes ....

1. et connais votre cœur
pour : et sais que votre
cœur est.
2. d'en user de la sorte :
de faire ainsi.

3. qu'on se lie à demeurer :
qu'on s'oblige à rester
attaché.
4. se piquer : s'enorgueillir.

5. des ridicules : des gens
ridicules.

à cette douce violence dont elle nous entraîne. J'ai beau être engagé, l'amour que j'ai pour une belle n'engage point mon âme à faire injustice aux autres ; je conserve des yeux pour voir le mérite de toutes, et rends à chacune les hommages et les
140 tributs[1] où la nature nous oblige. Quoi qu'il en soit, je ne puis refuser mon cœur à tout ce que je vois d'aimable[2], et dès qu'un beau visage me le demande, si j'en avais dix mille, je les donnerais tous. Les inclinations[3] naissantes, après tout, ont des charmes inexplicables, et tout le plaisir de l'amour est dans le chan-
145 gement. On goûte une douceur extrême à réduire[4], par cent hommages, le cœur d'une jeune beauté, à voir de jour en jour les petits progrès qu'on y fait, à combattre par des transports[5], par des larmes et des soupirs, l'innocente pudeur d'une âme qui a peine à rendre les armes, à forcer pied à pied toutes les petites
150 résistances qu'elle nous oppose, à vaincre les scrupules dont elle se fait un honneur, et la mener doucement où nous avons envie de la faire venir. Mais, lorsqu'on en est maître une fois il n'y a plus rien à dire, ni rien à souhaiter ; tout le beau de la passion est fini, et nous nous endormons dans la tranquillité d'un tel
155 amour, si quelque objet nouveau ne vient réveiller nos désirs et présenter à notre cœur les charmes attrayants d'une conquête à faire. Enfin il n'est rien de si doux que de triompher de la résistance d'une belle personne, et j'ai sur ce sujet l'ambition des conquérants, qui volent perpétuellement de victoire en
160 victoire, et ne peuvent se résoudre à borner leurs souhaits. Il n'est rien qui puisse arrêter l'impétuosité de mes désirs : je me sens un cœur à aimer toute la terre ; et comme Alexandre[6], je

passage analysé

notes

1. tributs : marques d'amour.

2. tout ce que je vois d'aimable : toutes les femmes qui me semblent aimables.

3. inclinations : penchants amoureux.

4. réduire [...] le cœur : venir à bout de la résistance de.

5. transports : sentiments exprimés avec fougue.

6. Alexandre : Alexandre le Grand (356-323 av. J.-C.) étendit son empire du nord de la Grèce jusqu'à l'Indus. Le poète satirique romain Juvénal (Ier siècle après J.-C.) lui prêta le regret qu'il n'y eût qu'un seul monde à conquérir.

souhaiterais qu'il y eût d'autres mondes, pour y pouvoir étendre mes conquêtes amoureuses.

165 SGANARELLE – Vertu de ma vie, comme vous débitez ![1] Il semble que vous ayez appris cela par cœur, et vous parlez tout comme un livre.

DON JUAN – Qu'as-tu à dire là-dessus ?

SGANARELLE – Ma foi ! j'ai à dire..., je ne sais que dire, car vous
170 tournez les choses d'une manière, qu'il semble que vous avez raison ; et cependant il est vrai que vous ne l'avez pas. J'avais les plus belles pensées du monde, et vos discours m'ont brouillé tout cela. Laissez faire : une autre fois je mettrai mes raisonnements par écrit, pour disputer[2] avec vous.

175 DON JUAN – Tu feras bien.

SGANARELLE – Mais, monsieur, cela serait-il de la permission que vous m'avez donnée, si je vous disais que je suis tant soit peu scandalisé de la vie que vous menez ?

DON JUAN – Comment ! quelle vie est-ce que je mène ?

180 SGANARELLE – Fort bonne. Mais, par exemple, de vous voir tous les mois vous marier comme vous faites...

DON JUAN – Y a-t-il rien de plus agréable ?

SGANARELLE – Il est vrai, je conçois que cela est fort agréable et fort divertissant, et je m'en accommoderais assez, moi, s'il n'y
185 avait point de mal ; mais, monsieur, se jouer ainsi d'un mystère sacré[3], et...

DON JUAN – Va, va, c'est une affaire entre le Ciel et moi, et nous la démêlerons bien ensemble, sans que tu t'en mettes en peine.

passage analysé

---

notes ....

1. comme vous débitez ! : quel bagou !
2. disputer : discuter.

3. mystère sacré : le mariage est contracté devant Dieu qui lie pour la vie les époux.

SGANARELLE – Ma foi ! monsieur, j'ai toujours ouï dire que c'est
190 une méchante raillerie que de se railler du Ciel[1], et que les
libertins[2] ne font jamais une bonne fin.

DON JUAN – Holà ! maître sot, vous savez que je vous ai dit que
je n'aime pas les faiseurs de remontrances.

SGANARELLE – Je ne parle pas aussi à vous, Dieu m'en garde ! Vous
195 savez ce que vous faites, vous, et, si vous ne croyez rien, vous
avez vos raisons ; mais il y a de certains petits impertinents dans
le monde, qui sont libertins sans savoir pourquoi, qui font
les esprits forts, parce qu'ils croient que cela leur sied bien[3] ; et
si j'avais un maître comme cela, je lui dirais fort nettement, le
200 regardant en face : « Osez-vous bien ainsi vous jouer au Ciel[4],
et ne tremblez-vous point de vous moquer comme vous faites
des choses les plus saintes ? C'est bien à vous, petit ver de terre,
petit mirmidon[5] que vous êtes (je parle au maître que j'ai dit),
c'est bien à vous à vouloir vous mêler de tourner en raillerie ce
205 que tous les hommes révèrent[6]. Pensez-vous que pour être de
qualité[7], pour avoir une perruque blonde et bien frisée, des
plumes à votre chapeau, un habit bien doré, et des rubans
couleur de feu (ce n'est pas à vous que je parle, c'est à l'autre),
pensez-vous, dis-je, que vous en soyez plus habile homme, que
210 tout vous soit permis, et qu'on n'ose vous dire vos vérités ?
Apprenez de moi, qui suis votre valet, que le Ciel punit tôt ou
tard les impies, qu'une méchante vie amène une méchante
mort, et que... »

DON JUAN – Paix !

passage analysé

notes ....

1. c'est une méchante raillerie que de se railler du Ciel : il est mauvais de se moquer de Dieu.

2. libertins : ceux qui ne se plient pas aux règles religieuses.

3. cela leur sied bien : cela leur va bien.

4. vous jouer au Ciel : vous moquer du Ciel.

5. mirmidon : peuple chétif que Zeus créa en métamorphosant des fourmis.

6. révèrent : vénèrent.

7. pour être de qualité : parce qu'on appartient à une classe sociale élevée.

215   SGANARELLE – De quoi est-il question ?

DON JUAN – Il est question de te dire qu'une beauté me tient au cœur, et qu'entraîné par ses appas[1], je l'ai suivie jusques en cette ville.

SGANARELLE – Et n'y craignez-vous rien, monsieur, de la mort[2]
220   de ce Commandeur[3] que vous tuâtes il y a six mois ?

DON JUAN – Et pourquoi craindre ? Ne l'ai-je pas bien tué ?

SGANARELLE – Fort bien, le mieux du monde et il aurait tort de se plaindre.

DON JUAN – J'ai eu ma grâce[4] de cette affaire.

225   SGANARELLE – Oui, mais cette grâce n'éteint pas peut-être le ressentiment[5] des parents et des amis, et...

DON JUAN – Ah ! n'allons point songer au mal qui nous peut arriver, et songeons seulement à ce qui nous peut donner du plaisir. La personne dont je te parle est une jeune fiancée, la
230   plus agréable du monde, qui a été conduite ici par celui même qu'elle y vient épouser ; et le hasard me fit voir ce couple d'amants[6] trois ou quatre jours avant leur voyage. Jamais je n'ai vu deux personnes être si contents l'un de l'autre et faire éclater plus d'amour. La tendresse visible de leurs mutuelles ardeurs[7]
235   me donna de l'émotion ; j'en fus frappé au cœur, et mon amour commença par la jalousie. Oui, je ne pus souffrir[8] d'abord de les voir si bien ensemble ; le dépit alarma[9] mes désirs, et je me figurai un plaisir extrême à pouvoir troubler leur intelligence[10], et

notes

1. **ses appas** : son charme.
2. **de la mort** : à cause de la mort.
3. **Commandeur** : chevalier détenteur d'une commanderie dans un ordre religieux et militaire comme celui de Malte.
4. **j'ai eu ma grâce** : j'ai été acquitté pour cette affaire.
5. **ressentiment** : désir de vengeance.
6. **amants** : fiancés amoureux.
7. **mutuelles ardeurs** : passion réciproque.
8. **souffrir** : supporter.
9. **alarma** : éveilla.
10. **intelligence** : entente.

240 rompre cet attachement, dont la délicatesse de mon cœur se
tenait offensée[1] ; mais jusques ici tous mes efforts ont été
inutiles, et j'ai recours au dernier remède. Cet époux prétendu[2]
doit aujourd'hui régaler sa maîtresse d'une promenade[3] sur mer.
Sans t'en avoir rien dit, toutes choses sont préparées pour satisfaire mon amour, et j'ai une petite barque et des gens avec quoi
245 fort facilement je prétends enlever la belle.

SGANARELLE – Ha ! Monsieur...

DON JUAN – Hein ?

SGANARELLE – C'est fort bien fait à vous[4], et vous le
prenez comme il faut. Il n'est rien tel en ce monde que de se
250 contenter[5].

DON JUAN – Prépare-toi donc à venir avec moi, et prends soin
toi-même d'apporter toutes mes armes, afin que... *(Il aperçoit
Done Elvire.)* Ah ! rencontre fâcheuse ! Traître, tu ne m'avais pas
dit qu'elle était ici elle-même.

255 SGANARELLE – Monsieur, vous ne me l'avez pas demandé.

DON JUAN – Est-elle folle de n'avoir pas changé d'habits, et de
venir en ce lieu-ci avec son équipage de campagne[6] ?

notes

1. **dont la délicatesse de mon cœur se tenait offensée :** qui blessait mon cœur délicat.
2. **époux prétendu :** fiancé.
3. **régaler [...] d'une promenade :** offrir le plaisir d'une promenade.
4. **c'est fort bien fait à vous :** vous faites bien.
5. **se contenter :** se faire plaisir.
6. **équipage de campagne :** tenue de voyage.

**Dom Juan et
Sganarelle
dans la mise en scène
de Roger Planchon
(théâtre de l'Odéon, 1980).**

**Dom Juan et Sganarelle
(Michel Galabru)
dans la mise en scène
de Georges Descrières
(théâtre Mouffetard,
1987).**

Une pièce attendue

Mettons-nous dans l'état d'esprit du spectateur de 1665 qui vient d'apprendre que Molière s'apprête à produire une nouvelle pièce intitulée *Dom Juan ou Le Festin de Pierre*. Depuis un an, l'auteur est la cible des dévots offusqués par les attaques contre l'hypocrisie religieuse à laquelle il a donné le visage de Tartuffe. L'auteur va-t-il répliquer à la cabale dans cette nouvelle pièce ?

Par ailleurs, le sujet est excitant et a déjà donné lieu à plusieurs versions différentes, bouffonnes ou tragi-comiques*. Quelle sera la particularité de cette nouvelle version ?

Molière annonce une mise en scène époustouflante, multipliant les décors et les effets spectaculaires. Le public raffole des « effets spéciaux » produits par d'extraordinaires machineries. Enfin, le spectateur connaît le talent de Molière pour pointer les perversions du caractère ou les dérives des mœurs. Quelles nouvelles attaques fulgurantes a-t-il pu inventer et contre qui ?

Les scènes d'exposition* vont apporter une réponse à ces attentes en déterminant la tonalité* de la pièce, en présentant la personnalité et les idées du héros.

L'exposition au théâtre

Le spectateur choisit le spectacle sur la seule indication d'un titre plus ou moins explicite : il peut donner des indices sur la nature de l'intrigue (*La Dispute* de Marivaux) ou sur le milieu social qui lui sert de cadre (*Le Bourgeois gentilhomme* de Molière). Le titre caractérise aussi très souvent le personnage principal par un trait psychologique (*L'Avare* de Molière). Si le titre est un nom propre quelconque, il peut révéler la catégorie

* : *Cf.* Lexique.

sociale à laquelle appartient le héros. S'il s'agit du nom d'un personnage historique ou mythologique, l'auteur fait référence à la culture du public. Dans ce cas, les grandes lignes de l'action sont connues et le registre attendu en découle.

Le titre *Dom Juan* annonce un héros appartenant à la noblesse espagnole suffisamment célèbre pour n'être désigné que par son prénom. Ce nom propre est devenu commun et désigne un séducteur.

À l'ouverture du rideau, l'action est prise en cours. L'éclairage situe le moment de la journée ; le décor et les costumes précisent le lieu et l'époque de l'action, la condition sociale des personnages. La gestuelle des acteurs informe visuellement avant même que le premier mot n'ait été prononcé. Enfin, le dialogue des premières scènes a pour fonction de préciser les indications nécessaires à la compréhension de la situation initiale* : qui sont les protagonistes*, quelles sont leurs relations, leur situation présente ? On parle de double énonciation car une partie des informations échangées par les personnages est en fait destinée au spectateur. Enfin, l'exposition* a encore une fonction dramatique : l'intrigue doit s'engager au plus tôt car le théâtre est action. Il faut donc qu'intervienne dès le début de la pièce l'élément perturbateur* qui va rompre l'équilibre. Il entraîne avec lui un cortège de conséquences dépendant essentiellement de la personnalité, des idées et des intérêts des protagonistes mais aussi d'événements fortuits, appelés « coups de théâtre ». Par ailleurs, des indices sont souvent donnés pour préparer le dénouement*. Le spectateur n'y prête alors guère d'attention mais il les entend et s'en souviendra le moment venu.

.... **La situation initiale** ....

❶ Quels éléments du dialogue confirment les hypothèses faites grâce au titre ?

❷ Quels indices nous sont donnés de la situation dans laquelle se trouve Don Juan ?

❸ Quels indices nous renseignent sur les rapports entre les valets et leurs maîtres ?

* : *Cf.* Lexique.

.... **Le déclenchement de l'action** ....

❹ Quel est l'élément perturbateur* qui déclenche l'action ?

❺ Comment Sganarelle envisage-t-il l'avenir de son maître ?

L'instabilité baroque

Le XVIIe siècle français a été longtemps considéré comme totalement acquis à l'esthétique classique imposée par le Roi-Soleil. La critique moderne a cependant cherché à rendre compte de nombreuses manifestations intellectuelles et artistiques qui ne rentraient pas dans ce cadre et correspondaient à l'époque instable et troublée précédant l'installation du régime absolutiste instauré par Louis XIV. Ce courant, appelé baroque, était entre autres caractérisé en littérature par le goût pour toutes les formes d'instabilité et d'illusions, nourri par un sens aigu des contradictions et de la réversibilité de toutes choses, ce qui incitait à se précipiter dans des passions éphémères. La vie est un théâtre : tout est représentation ; vérité et mensonges se confondent.

Le baroque est marqué aussi sur le plan formel par la recherche de l'effet : on cultive la virtuosité qui frappe les esprits, aussi bien dans l'architecture religieuse que dans la littérature où foisonnent les effets rhétoriques.

Don Juan, décrit de façon peu flatteuse par Sganarelle à Gusman dans la scène 1, fait l'éloge provocateur de sa nature infidèle et de son comportement de séducteur. Il se révèle au spectateur également à travers son langage brillant et ses projets audacieux. Nous nous trouvons ainsi face à un portrait contradictoire, et par conséquent ambigu, du héros de la pièce. Le débat moral entre le maître et le valet s'inscrit à l'époque dans une tradition déjà ancienne. L'éloge de l'inconstance apparaît dès la fin du XVIe siècle. Cette dénonciation de l'amour éternel idéalisé à la Renaissance apparaît par exemple dans une comédie de Corneille, *La Place royale* mais aussi dans le roman *La Vraye Histoire comique de Francion* de Sorel ainsi que dans divers poèmes précieux.

* : *Cf.* Lexique.

.... **Don Juan, un personnage baroque** ....

❻ Quels éléments de l'autoportrait de Don Juan et quels commentaires de Sganarelle font de Don Juan un personnage baroque ?

❼ En quoi la tirade* de Don Juan (l. 125 à 164) exaltant l'instabilité en amour est-elle un morceau de virtuosité?

❽ Analysez la composition de la tirade et les figures de style utilisées.

.... **Le point de vue du spectateur** ....

❾ Quels sentiments cette première apparition de Don Juan suscite-t-elle chez le spectateur ?

❿ En quoi cette apparition du héros modifie-t-elle le point de vue constitué à partir de la description faite par Sganarelle à la scène 1 de l'acte I (l. 51 à 85) ?

La détermination du registre

Les premières scènes permettent également de caractériser le registre* de la pièce. Des conventions précises existent au XVIIe siècle. Elles concernaient tout d'abord le décor : une architecture de palais s'imposait pour la tragédie, une place urbaine ou un intérieur bourgeois pour la comédie. On a conservé les commandes faites à deux peintres par Molière pour les décors de cette pièce. On sait que celui du premier acte représentait un palais avec, en arrière-plan, un magnifique jardin.

Par ailleurs, un langage recherché, la présence d'un confident, une diction solennelle, un enjeu politique signalaient une tragédie. Des personnages de milieu moyen s'exprimant dans un langage quotidien et débattant de questions domestiques caractérisaient la comédie.

Dans le cas de *Dom Juan ou le Festin de Pierre*, l'édition du texte précise qu'il s'agit d'une comédie. Sur le frontispice, qui est l'illustration d'ouverture de la version imprimée (*cf.* p. 22), l'attitude des personnages et la situation représentée sont plus

* : *Cf.* Lexique.

ambiguës. Le valet semble avoir peur mais plus peut-être de l'attitude de son maître que du convive insolite qui n'est d'ailleurs guère effrayant, campé derrière la volaille rôtie. Don Juan cherche, à l'aide d'une chandelle, à éclairer le mystère. Le fantastique est à peine présent, le contexte est trop trivial pour être tragique mais la scène n'est pas non plus franchement comique.

.... **Le décor** ....

⓫ Relevez les indications concernant l'espace dans le dialogue.
⓬ Quelles relations l'espace imaginaire évoqué dans les propos entretient-il avec le décor et la règle de l'unité de lieu imposée à l'action théâtrale ?

.... **Le dialogue** ....

⓭ Étudiez le niveau de langue utilisé par Don Juan pour répondre à son valet et pour présenter son projet d'enlèvement. Quelle tonalité* donne-t-il à la scène ?
⓮ En étudiant l'enchaînement des répliques*, vous déterminerez quel personnage mène le dialogue.
⓯ Étudiez le décalage entre la forme et le contenu de la harangue* adressée par Sganarelle à « l'autre maître ».

.... **Les costumes** ....

⓰ Observez les photographies de mise en scène aux pages 30 et 37. D'après le costume, le physique et l'expression des acteurs, peut-on déduire la tonalité choisie par le metteur en scène pour l'interprétation de la pièce ?

* : *Cf.* Lexique.

Fidélité et inconstance

Lectures croisées et travaux d'écriture

La tirade* de Don Juan sur l'inconstance fait écho à de nombreux textes poétiques et romanesques baroques qui prennent ainsi le contre-pied de l'amour éternel et exclusif que valorisaient les poètes de la Pléiade, à la suite de Pétrarque.

Les tragédies montrent au contraire des héros et des héroïnes qui s'aiment malgré les dangers. Un cas original est le choix extraordinaire fait par la princesse de Clèves, héroïne du célèbre roman de Madame de La Fayette (1634-1693). Il fera sensation et alimentera de nombreuses discussions dans les salons.

Au XVIIIᵉ siècle, après la mort de Louis XIV, une partie de l'aristocratie mène une vie dissolue. En réaction à cette débauche, la bourgeoisie, dont la puissance ne cesse de s'affirmer, exalte les vertus. Le roman de Jean-Jacques Rousseau, *Julie ou La Nouvelle Héloïse*, qui eut un extraordinaire succès, montre cet idéal mis en œuvre.

Charles Sorel, *La Vraye Histoire comique de Francion*

Ce roman raconte les aventures réjouissantes d'un héros peu scrupuleux. Son héros, Francion, dans sa quête de plaisir et de réussite, traverse les milieux les plus divers où il multiplie les aventures gaillardes mais aussi où il apprend à se défaire d'un grand nombre de préjugés.

Vous dites vrai, répondit Francion, aussi n'y a-t-il rien qui nous apporte tant de maux que ce fâcheux lien, et l'honneur, ce cruel tyran de nos désirs. Si nous prenons une belle femme, elle est caressée de chacun, sans que nous le puissions empêcher. Le vulgaire[1] qui est infiniment soupçonneux et qui se jette sur les moindres apparences vous tiendra pour un cocu, encore qu'elle soit femme de bien, et vous fera mille injures : car, s'il voit quelqu'un parler à elle dans une rue, il croit qu'il prend bien une

* : *Cf.* Lexique.

autre licence dedans une maison. Si pour éviter ce mal l'on épouse une femme laide, pensant éviter un gouffre, l'on tombe dans un autre plus dangereux ; l'on n'a jamais ni bien ni joie ; l'on est au désespoir d'avoir pour compagne une furie, au lit et à la table. Il vaudrait bien mieux que nous fussions tous libres : l'on se joindrait sans se joindre avec celle qui plairait le plus, et lorsque l'on en serait las, il serait permis de la quitter. Si étant donnée à vous, elle ne laissait pas de prostituer son corps à quelqu'un d'autre, quand cela viendrait à votre connaissance, vous ne vous en offenseriez point, car les chimères[2] de l'honneur ne seraient point dans votre cervelle. Il ne vous serait pas défendu d'aller de même caresser toutes les amies des autres. Vous me représenterez que l'on ne saurait pas à quels hommes appartiendraient les enfants qu'engendreraient les femmes : mais qu'importe cela ? Laurette qui ne sait qui est son père ni sa mère, ni qui ne se soucie point de s'en enquérir, peut-elle avoir quelque ennui pour cela, si ce n'est celui que lui pourrait causer une sotte curiosité ? Or cette curiosité-là n'aurait point de lieu, parce que l'on considérerait qu'elle serait vaine, et il n'y a que les insensés qui souhaitent l'impossible. Ceci serait cause d'un très grand bien, car l'on serait contraint d'abolir toute prééminence et toute noblesse ; chacun serait égal, et les fruits de la terre seraient communs. Les lois naturelles seraient alors révérées toutes seules. Il y a beaucoup d'autres choses à dire sur cette matière, mais je les réserve pour une autre fois.

Charles Sorel, *La Vraye histoire comique de Francion*, 1623.

1. le vulgaire : les gens. **2. les chimères** : les illusions.

Madame de La Fayette, *La Princesse de Clèves*

L'action se situe au XVIe siècle à la cour d'Henri II. Le prince de Clèves a épousé une jeune fille qui l'estime et le respecte mais ne l'aime pas. Elle rencontre à un bal donné par le roi, M. de Nemours, un des plus séduisants gentilshommes de la cour. C'est un coup de foudre réciproque. Madame de Clèves reste fidèle à son mari à qui elle avoue toutefois par scrupule moral sa passion. Il meurt de désespoir. M. de Nemours lui demande alors de l'épouser. Elle explique ici les raisons de son refus.

Je sais que vous êtes libre, que je le suis, et que les choses sont d'une sorte que le public n'aurait peut-être pas sujet de vous blâmer, ni moi non plus, quand nous nous engagerions ensemble pour jamais. Mais les hommes conservent-ils de la passion dans ces engagements éternels ? Dois-je espérer un miracle en ma faveur et puis-je me mettre en état de voir certainement finir cette passion dont je ferais toute ma félicité ? M. de Clèves était peut-être l'unique homme du monde capable de conserver de l'amour dans le mariage. Ma destinée n'a pas voulu que j'aie pu profiter de ce bonheur ; peut-être aussi que sa passion n'avait subsisté que parce qu'il n'en aurait pas trouvé en moi. Mais je n'aurais pas le même moyen de conserver la vôtre : je crois même que les obstacles ont fait votre constance. Vous en avez assez trouvé pour vous animer à vaincre et mes actions involontaires, ou les choses que le hasard vous a apprises, vous ont donné assez d'espérance pour ne vous pas rebuter.

– Ah ! Madame, reprit M. de Nemours, je ne saurais garder le silence que vous m'imposez ; vous me faites trop d'injustice et vous me faites trop voir combien vous êtes éloignée d'être prévenue en ma faveur.

– J'avoue, répondit-elle, que les passions peuvent me conduire ; mais elles ne sauraient m'aveugler. Rien ne me peut empêcher de connaître que vous êtes né avec toutes les dispositions pour la galanterie[1] et toutes les qualités qui sont propres à y donner des succès heureux. Vous avez déjà eu plusieurs passions, vous en auriez encore ; je ne ferais plus votre bonheur ; je vous verrais pour une autre comme vous auriez été pour moi. J'en aurais une douleur mortelle et je ne serais pas même assurée de n'avoir point le malheur de la jalousie. Je vous en ai trop dit pour vous cacher que vous me l'avez fait connaître et que je souffris de si cruelles peines le soir que la reine me donna cette lettre de Mme de Thémines, que l'on disait qui s'adressait à vous, qu'il m'en est demeuré une idée qui me fait croire que c'est le plus grand de tous les maux.

Par vanité ou par goût, toutes les femmes souhaitent de vous attacher. Il y en a peu à qui vous ne plaisiez ; mon expérience me ferait croire qu'il en a point à qui vous ne puissiez plaire. Je vous croirais toujours amoureux et aimé et je ne me tromperais pas souvent. Dans cet état néanmoins, je n'aurais d'autre parti à prendre que celui de la souffrance ; je ne sais même si j'oserais me plaindre. On fait des reproches à un amant ; mais en fait-on à un mari, quand on n'a qu'à lui reprocher de n'avoir plus d'amour ? Quand je pourrais m'accoutumer à cette sorte de malheur, pourrais-je m'accoutumer à celui de croire voir toujours M. de Clèves vous accuser de sa mort, me reprocher de vous avoir aimé, de vous avoir épousé et me faire sentir la différence de son attachement au vôtre ?

Mme de La Fayette, *La Princesse de Clèves*, 1678.

1. la galanterie : l'amour.

Jean-Jacques Rousseau, *Julie ou La Nouvelle Héloïse*

L'action de ce roman épistolaire se situe dans le Valais, en Suisse, à la fin du XVIIIe siècle. Saint-Preux est le précepteur d'une jeune fille noble, Julie d'Étanges. Les deux jeunes gens tombent amoureux l'un de l'autre mais le père de Julie s'oppose à ce que sa fille épouse un roturier. Saint-Preux doit donc partir.

Tu vas habiter de grandes villes, où ta figure et ton âge, encore plus que ton mérite, tendront mille embûches à ta fidélité ; l'insinuante coquetterie¹ affectera le langage de la tendresse, et te plaira sans t'abuser ; tu ne chercheras point l'amour, mais les plaisirs ; tu les goûteras séparés de lui, et ne les pourras reconnaître. Je ne sais si tu retrouveras ailleurs le cœur de Julie ; mais je te défie de jamais retrouver auprès d'une autre ce que tu sentis auprès d'elle. L'épuisement de ton âme t'annoncera le sort que je t'ai prédit ; la tristesse et l'ennui t'accableront au sein des amusements frivoles ; le souvenir de nos premières amours te poursuivra malgré toi ; mon image, cent fois plus belle que je ne fus jamais, viendra tout à coup te surprendre. À l'instant le voile du dégoût couvrira tous tes plaisirs, et mille regrets amers naîtront dans ton cœur. Mon bien-aimé, mon doux ami, ah ! si jamais tu m'oublies… Hélas ! je ne ferai qu'en mourir ; mais toi tu vivras vil et malheureux, et je mourrai trop vengée.

Ne l'oublie donc jamais, cette Julie qui fut à toi, et dont le cœur ne sera point à d'autres. Je ne puis rien te dire de plus, dans la dépendance où le ciel m'a placée. Mais après t'avoir recommandé la fidélité, il est juste de te laisser de la mienne le seul gage qui soit en mon pouvoir. J'ai consulté, non mes devoirs, mon esprit égaré ne les connaît plus, mais mon cœur, dernière règle de qui n'en saurait plus suivre ; et voici le résultat de ses inspirations. Je ne t'épouserai jamais sans le consentement de mon père, mais je n'en épouserai jamais un autre sans ton consentement : je t'en donne ma parole ; elle me sera sacrée, quoi qu'il arrive, et il n'y a point de force humaine qui puisse m'y faire manquer.

Jean-Jacques Rousseau, *Julie ou La Nouvelle Héloïse*, 1761.

1. **coquetterie :** désir de séduire.

Corpus

Texte A : Extrait de la scène 2 de l'acte I de *Dom Juan* de Molière (p. 31, ligne 125, à p. 33, ligne 164).

Texte B : Extrait de *La Vraye Histoire comique de Francion* de Charles Sorel (p. 43 et p. 44).

Texte C : Extrait de *La Princesse de Clèves* de Madame de La Fayette (p. 44 et p. 45).

Texte D : Extrait de la lettre XI de *Julie ou La Nouvelle Héloïse* de Jean-Jacques Rousseau (p. 46).

Examen des textes

❶ Étudiez le plan du texte B.
❷ Observez l'exploitation qui est faite du cas de Laurette dans le texte B.
❸ Dans le texte C, que pense l'héroïne de l'amour en général?
❹ Quelle conception personnelle l'héroïne du texte C a-t-elle de l'amour?
❺ Comparez l'analyse de l'attitude masculine faite par Julie (texte D) et celle faite par Madame de La Fayette (texte C).

Travaux d'écriture

Question préliminaire
Recherchez dans ces textes les points de vue exprimés sur les avantages et les inconvénients de l'inconstance amoureuse.

Commentaire
Vous commenterez le texte de Rousseau (texte D).

Dissertation
Lequel de ces auteurs vous semble développer la thèse la plus convaincante? Cela tient-il à la nature des arguments ou à des éléments d'ordre formel ?

Écriture d'invention
Imaginez le dialogue entre un Don Juan moderne et une féministe.

Scène 3

DONE ELVIRE, DON JUAN,
SGANARELLE

DONE ELVIRE – Me ferez-vous la grâce, Don Juan, de vouloir bien me reconnaître ? et puis-je au moins espérer que vous
260   daigniez tourner le visage de ce côté ?

DON JUAN – Madame, je vous avoue que je suis surpris, et que je ne vous attendais pas ici.

DONE ELVIRE – Oui, je vois bien que vous ne m'y attendiez pas ; et vous êtes surpris, à la vérité, mais tout autrement que je ne
265   l'espérais ; et la manière dont vous le paraissez me persuade pleinement ce que je refusais de croire. J'admire[1] ma simplicité et la faiblesse de mon cœur à douter[2] d'une trahison que tant d'apparences me confirmaient. J'ai été assez bonne, je le confesse, ou plutôt assez sotte, pour me vouloir tromper moi-même et tra-
270   vailler à démentir mes yeux et mon jugement. J'ai cherché des raisons pour excuser à ma tendresse[3] le relâchement d'amitié qu'elle voyait en vous ; et je me suis forgé exprès cent sujets légitimes d'un départ si précipité, pour vous justifier du crime dont ma raison vous accusait. Mes justes soupçons chaque jour
275   avaient beau me parler, j'en rejetais la voix qui vous rendait criminel à mes yeux, et j'écoutais avec plaisir mille chimères[4] ridicules qui vous peignaient innocent à mon cœur. Mais enfin cet abord[5] ne me permet plus de douter, et le coup d'œil qui m'a reçue m'apprend bien plus de choses que je ne voudrais en
280   savoir. Je serai bien aise pourtant d'ouïr de votre bouche les raisons de votre départ. Parlez, Don Juan, je vous prie, et voyons de quel air[6] vous saurez vous justifier.

---

notes

1. **j'admire** : je m'étonne de.
2. **à douter** : qui doute.
3. **pour excuser à ma tendresse** : pour que ma tendresse excuse.
4. **chimères** : inventions.
5. **abord** : accueil.
6. **air** : façon.

DON JUAN – Madame, voilà Sganarelle qui sait pourquoi je suis parti.

285   SGANARELLE, *bas à Don Juan* – Moi ? Monsieur, je n'en sais rien, s'il vous plaît.

DONE ELVIRE – Hé bien ! Sganarelle, parlez. Il n'importe de quelle bouche j'entende ces raisons.

DON JUAN, *faisant signe d'approcher à Sganarelle* – Allons, parle donc
290   à Madame.

SGANARELLE, *bas à Don Juan* – Que voulez-vous que je dise ?

DONE ELVIRE – Approchez, puisqu'on le veut ainsi, et me dites un peu les causes d'un départ si prompt.

DON JUAN – Tu ne répondras pas ?

295   SGANARELLE, *bas à Don Juan* – Je n'ai rien à répondre. Vous vous moquez de votre serviteur.

DON JUAN – Veux-tu répondre, te dis-je ?

SGANARELLE – Madame…

DONE ELVIRE – Quoi ?…

300   SGANARELLE, *se retournant vers son maître* – Monsieur…

DON JUAN – Si…

SGANARELLE – Madame, les conquérants, Alexandre et les autres mondes sont cause de notre départ. Voilà, monsieur, tout ce que je puis dire.

305   DONE ELVIRE – Vous plaît-il, Don Juan, nous éclaircir ces beaux mystères ?

DON JUAN – Madame, à vous dire la vérité…

DONE ELVIRE – Ah ! que vous savez mal vous défendre pour un homme de cour, et qui doit être accoutumé à ces sortes de
310   choses ! J'ai pitié de vous voir la confusion que vous avez. Que

ne vous armez-vous le front d'une noble effronterie[1] ? Que ne
me jurez-vous que vous êtes toujours dans les mêmes sentiments pour moi, que vous m'aimez toujours avec une ardeur
sans égale, et que rien n'est capable de vous détacher de moi

315 que la mort ? Que ne me dites-vous que des affaires de la dernière conséquence[2] vous ont obligé à partir sans m'en donner
avis[3] ; qu'il faut que, malgré vous, vous demeuriez ici quelque
temps, et que je n'ai qu'à m'en retourner d'où je viens, assurée
que vous suivrez mes pas le plus tôt qu'il vous sera possible ;

320 qu'il est certain que vous brûlez de me rejoindre, et qu'éloigné
de moi, vous souffrez ce que souffre un corps qui est séparé de
son âme ? Voilà comme il faut vous défendre, et non pas être
interdit[4] comme vous êtes.

DON JUAN – Je vous avoue, Madame, que je n'ai point le talent
325 de dissimuler, et que je porte un cœur sincère. Je ne vous dirai
point que je suis toujours dans les mêmes sentiments pour vous
et que je brûle de vous rejoindre, puisque enfin il est assuré que
je ne suis parti que pour vous fuir ; non point par les raisons que
vous pouvez vous figurer, mais par un pur motif de conscience,

330 et pour ne croire pas[5] qu'avec vous davantage je puisse vivre
sans péché. Il m'est venu des scrupules, Madame, et j'ai ouvert
les yeux de l'âme sur ce que je faisais. J'ai fait réflexion que, pour
vous épouser, je vous ai dérobée à la clôture d'un couvent[6], que
vous avez rompu des vœux[7] qui vous engageaient autre part, et

335 que le Ciel est fort jaloux de ces sortes de choses. Le repentir

notes

1. que ne vous armez-vous le front d'une noble effronterie ? : pourquoi ne prenez vous pas un air assuré ?
2. de la dernière conséquence : de la plus haute importance.
3. sans m'en donner avis : sans me prévenir.
4. interdit : surpris.
5. pour ne croire pas : parce que je ne crois pas.
6. je vous ai dérobée à la clôture d'un couvent : je vous ai fait sortir du couvent où vous étiez enfermée.
7. vœux : les religieuses s'engagent devant Dieu pour la vie entière à rester chastes et à obéir à la règle du couvent.

m'a pris, et j'ai craint le courroux céleste. J'ai cru que notre mariage n'était qu'un adultère déguisé, qu'il nous attirerait quelque disgrâce[1] d'en haut, et qu'enfin je devais tâcher de vous oublier et vous donner moyen de retourner à vos premières

340 chaînes. Voudriez-vous, Madame, vous opposer à une si sainte pensée, et que j'allasse, en vous retenant, me mettre le Ciel sur les bras, que par... ?

DONE ELVIRE – Ah ! scélérat, c'est maintenant que je te connais tout entier, et, pour mon malheur, je te connais lorsqu'il n'en

345 est plus temps, et qu'une telle connaissance ne peut plus me servir qu'à me désespérer. Mais sache que ton crime ne demeurera pas impuni, et que le même Ciel dont tu te joues me saura venger de ta perfidie.

[DON JUAN – Sganarelle, le Ciel !

350 SGANARELLE – Vraiment oui, nous nous moquons bien de cela, nous autres[2] !][3]

DON JUAN – Madame...

DONE ELVIRE – Il suffit. Je n'en veux pas ouïr davantage, et je m'accuse même d'en avoir trop entendu. C'est une lâcheté que

355 de se faire expliquer trop sa honte ; et, sur de tels sujets, un noble cœur, au premier mot, doit prendre son parti. N'attends pas que j'éclate ici en reproches et en injures : non, non, je n'ai point un courroux à exhaler en paroles vaines[4], et toute sa chaleur se réserve pour sa vengeance. Je te le dis encore, le Ciel te punira,

360 perfide, de l'outrage que tu me fais ; et si le Ciel n'a rien que tu puisses appréhender[5], appréhende du moins la colère d'une femme offensée.

(Elle sort.)

notes

1. **disgrâce** : punition.
2. **nous autres** : Sganarelle parle pour Don Juan.

3. Les passages entre crochets sont les répliques censurées dans l'édition de 1682.

4. **je n'ai point un courroux à exhaler en paroles vaines** : je ne vais pas inutilement exprimer ma colère.
5. **appréhender** : craindre.

SGANARELLE, *à part* – Si le remords le pouvait prendre !

365 DON JUAN, *après une petite réflexion* – Allons songer à l'exécution de notre entreprise amoureuse.

SGANARELLE, *seul* – Ah ! quel abominable maître me vois-je obligé de servir !

Acte II

Scène 1

CHARLOTTE, PIERROT

CHARLOTTE – Nostre-Dinse[1], Piarrot[2], tu t'es trouvé là bien à point.

PIERROT – Parquienne[3] ! il ne s'en est pas fallu l'époisseur d'une éplinque[4] qu'ils ne se sayant nayés[5] tous deux.

CHARLOTTE – C'est donc le coup de vent da matin qui les avoit
5   renvarsés dans la mar ?

PIERROT – Aga[6], guien[7], Charlotte, je m'en vas te conter tout fin drait[8] comme cela est venu ; car, comme dit l'autre, je les ai le

---

notes

1. Nostre-Dinse : juron déformé pour atténuer l'injure qu'il fait au divin, dit pour « Notre-Dame », désignation respectueuse de Marie, mère de Jésus.

2. Piarrot : prononciation paysanne : le son « er » devient « ar » également dans les mots « renvarsés, mar, tarre, aparçu, envars, etc. ».

3. parquienne : de la même façon dit pour « par Dieu » ; le nom de Dieu est modifié en « quenne, quienne, guenne, qué… » par Pierrot.

4. éplinque : épingle.

5. qu'ils ne se sayant nayés : conjugaison fautive, dit pour « qu'ils ne se soient noyés » ; de la même façon, on trouve « qui nageant » (l. 17) pour

« nagent » ; « je m'en vas » (l. 6) pour « je m'en vais » ; « j'estions » (l. 8) pour « nous étions » ; « je nous amusions » (l. 9) pour « nous nous amusions », etc.

6. aga : regarde.

7. guien : tiens.

8. tout fin drait : exactement.

premier avisés[1], avisés le premier je les ai. Enfin donc j'estions sur le bord de la mar, moi et le gros Lucas, et je nous amusions
10 à batifoler avec des mottes de tarre que je nous jesquions à la tête ; car, comme tu sais bian, le gros Lucas aime à batifoler, et moi par fouas je batifole itou. En batifolant donc, pisque batifoler y a, j'ai aparçu de tout loin queuque chose qui grouilloit dans gliau[2], et qui venoit comme envars nous par secousse. Je
15 voyois cela fixiblement[3], et pis tout d'un coup je voyois que je ne voyois plus rien. « Eh ! Lucas, ç'ai-je fait[4], je pense que vlà des hommes qui nageant là-bas. – Voire, ce m'a-t-il fait, t'as été au trépassement[5] d'un chat, t'as la vue trouble. – Palsanquienne[6], ç'ai-je fait, je n'ai point la vue trouble : ce sont des hommes.
20 – Point du tout, ce m'a-t-il fait, t'as la barlue[7]. – Veux-tu gager, ç'ai-je fait, que je n'ai point la barlue, ç'ai-je fait, et que sont deux hommes, ç'ai-je fait, qui nageant droit ici ? ç'ai-je fait. – Morquenne[8] ! ce m'a-t-il fait, je gage que non. – Ô çà ! ç'ai-je fait, veux-tu gager dix sols[9] que si ? – Je le veux bian, ce m'a-
25 t-il fait ; et pour te montrer, vlà argent su jeu[10] », ce m'a-t-il fait. Moi, je n'ai point été ni fou, ni étourdi ; j'ai bravement bouté[11] à tarre quatre pièces tapées, et cinq sols en doubles[12], jergniguenne[13], aussi hardiment que si j'avois avalé un varre de vin ; car je ses hazardeux[14], moi, et je vas à la débandade[15]. Je savois

notes

1. **avisés** : vus.
2. **qui grouilloit dans gliau** : qui s'agitait dans l'eau.
3. **fixiblement** : mot inventé à partir de « fixement » et « visiblement ».
4. **ç'ai-je fait** : forme populaire pour « lui dis-je », de même « ce m'a-t-il fait » (l. 16) remplace « me dit-il ».
5. **trépassement** : mort. Il s'agit d'une croyance superstitieuse selon laquelle voir mourir un chat, animal considéré comme maléfique, trouble la vue.
6. **palsanquienne** : par le sang de Dieu.
7. **t'as la barlue** : tu as des hallucinations.
8. **morquenne** : par la mort de Dieu.
9. **sols** : sous.
10. **vlà argent su jeu** : voilà ma mise.
11. **bouté** : jeté.
12. **quatre pièces tapées, et cinq sols en doubles** : ceci représente une mise de très faible valeur en petite monnaie.
13. **jergniguenne** : je renie Dieu.
14. **je ses hazardeux** : je suis joueur.
15. **je vas à la débandade** : je prends des risques.

30 bian ce que je faisois pourtant. Queuque gniais[1] ! Enfin donc, je n'avons pas putôt eu gagé, que j'avons vu les deux hommes tout à plain[2], qui nous faisiant signe de les aller quérir[3] ; et moi de tirer auparavant les enjeux. « Allons, Lucas, ç'ai-je dit, tu vois bian qu'ils nous appelont : allons vite à leu secours. – Non, ce

35 m'a-t-il dit, ils m'ont fait pardre. » Ô ! donc, tanquia qu'à la parfin[4], pour le faire court[5], je l'ai tant sarmonné, que je nous sommes boutés dans une barque, et pis j'avons tant fait cahin-caha[6], que je les avons tirés de gliau, et pis je les avons menés cheux nous auprès du feu, et pis ils se sant dépouillés tous nus

40 pour se sécher, et pis il y en est venu encore deux de la même bande, qui s'equiant[7] sauvés tout seuls, et pis Mathurine est arrivée là, à qui l'en a fait les doux yeux. Vlà justement, Charlotte, comme tout ça s'est fait.

CHARLOTTE – Ne m'as-tu pas dit, Piarrot, qu'il y en a un qu'est
45 bien pu mieux fait que les autres ?

PIERROT – Oui, c'est le maître. Il faut que ce soit queuque gros[8], gros Monsieur, car il a du dor[9] à son habit tout depis le haut jusqu'en bas ; et ceux qui le servont sont des monsieux eux-mêmes ; et stapandant[10], tout gros monsieur qu'il est, il seroit,
50 par ma fique[11], nayé, si je n'aviomme[12] été là.

CHARLOTTE – Ardez un peu[13] !

PIERROT – O ! parquenne, sans nous, il en avoit pour sa maine de fèves[14].

---

notes

1. **queuque gniais** : il aurait fallu être idiot pour ne pas le faire (tournure elliptique).
2. **tout à plain** : juste en face.
3. **quérir** : chercher.
4. **tanquia qu'à la parfin** : si bien qu'enfin.
5. **pour le faire court** : en bref.
6. **cahin-caha** : tant bien que mal.
7. **s'equiant** : s'étaient.
8. **gros** : important.
9. **du dor** : de l'or.
10. **stapandant** : cependant.
11. **par ma fique** : par ma foi.
12. **je n'aviomme** : je n'avais.
13. **Ardez un peu** : voyez cela.
14. **il en avoit pour sa maine de fèves** : littéralement « pour sa mesure de fèves », donc « il avait son compte ».

CHARLOTTE – Est-il encore cheux toi tout nu, Piarrot ?

55 PIERROT – Nannain[1] : ils l'avont rhabillé tout devant nous. Mon quieu, je n'en avois jamais vu s'habiller. Que d'histoires et d'angigorniaux[2] boutont[3] ces Messieus-là les courtisans ! Je me pardrois là dedans, pour moi, et j'étois tout ébobi[4] de voir ça. Quien, Charlotte, ils avont des cheveux qui ne tenont point à
60 leu tête ; et ils boutont ça après tout, comme un gros bonnet de filace[5]. Ils ant des chemises qui ant des manches où j'entrerions tout brandis[6], toi et moi. En glieu d'haut-de-chausse[7], ils portont un garde-robe[8] aussi large que d'ici à Pâque ; en glieu de pourpoint[9], de petites brassières[10] qui ne leu venont pas
65 jusqu'au brichet[11] ; et en glieu de rabats[12], un grand mouchoir de cou à reziau[13], aveuc quatre grosses houppes[14] de linge qui leu pendont sur l'estomaque. Ils avont itou d'autres petits rabats au bout des bras, et de grands entonnois de passement[15] aux jambes, et parmi tout ça tant de rubans, tant de rubans, que c'est
70 une vraie piquié. Igna pas jusqu'aux souliers qui n'en soiont farcis tout depuis un bout jusqu'à l'autre ; et ils sont faits d'eune façon que je me rompois le cou aveuc.

CHARLOTTE – Par ma fi, Piarrot, il faut que j'aille voir un peu ça.

PIERROT – Ô ! acoute un peu auparavant, Charlotte, j'ai queuque
75 autre chose à te dire, moi.

CHARLOTTE – Eh bian ! dis, qu'est-ce que c'est ?

notes

1. **nannain :** non.
2. **angigorniaux :** fanfreluches.
3. **boutont :** mettent.
4. **ébobi :** ébahi.
5. **filace :** fibre végétale de couleur jaune.
6. **tout brandis :** tout debout.
7. **en glieu d'haut-de-chausse :** en guise de culotte.
8. **garde-robe :** tablier.
9. **pourpoint :** veste.
10. **brassières :** chemises de femmes.
11. **brichet :** bréchet, sternum des oiseaux.
12. **rabat :** col.
13. **mouchoir de cou à reziau :** collerette en dentelle.
14. **houppes :** pan de tissu.
15. **entonnois de passement :** cornets de dentelle.

PIERROT – Vois-tu, Charlotte, il faut, comme dit l'autre, que je débonde[1] mon cœur. Je t'aime, tu le sais bian, et je sommes pour être mariés ensemble ; mais marquenne[2], je ne suis point satis-
80 fait de toi.

CHARLOTTE – Quement ? qu'est-ce que c'est donc qu'iglia ?

PIERROT – Iglia que tu me chagraignes[3] l'esprit, franchement.

CHARLOTTE – Et quement donc ?

PIERROT – Testiguienne[4] ! tu ne m'aimes point.

85 CHARLOTTE – Ah ! ah ! n'est-ce que ça ?

PIERROT – Oui, ce n'est que ça, et c'est bian assez.

CHARLOTTE – Mon quieu, Piarrot, tu me viens toujou dire la même chose.

PIERROT – Je te dis toujou la même chose, parce que c'est tou-
90 jou la même chose ; et si ce n'étoit pas toujou la même chose, je ne te dirois pas toujou la même chose.

CHARLOTTE – Mais qu'est-ce qu'il te faut ? Que veux-tu ?

PIERROT – Jerniquenne ! je veux que tu m'aimes.

CHARLOTTE – Est-ce que je ne t'aime pas ?

95 PIERROT – Non, tu ne m'aimes pas ; et si[5], je fais tout ce que je pis pour ça : je t'achète, sans reproche, des rubans à tous les marciers[6] qui passont ; je me romps le cou à t'aller dénicher des marles ; je fais jouer pour toi les vielleux[7] quand ce vient ta fête ; et tout ça, comme si je me frappois la tête contre un mur.
100 Vois-tu, ça [n'est] ni biau ni honneste de n'aimer pas les gens qui nous aimont.

notes --

1. débonde : soulage, vide.
2. marquenne : par la mère de Dieu.
3. tu me chagraignes : tu me chagrines.

4. testiguienne : par la tête de Dieu.
5. et si : et pourtant.

6. marciers : merciers, marchands de rubans et de fournitures de couture.
7. vielleux : musiciens jouant de la vielle, instrument populaire.

CHARLOTTE – Mais, mon guieu[1], je t'aime aussi.

PIERROT – Oui, tu m'aimes d'une belle deguaine[2] !

CHARLOTTE – Quement veux-tu donc qu'on fasse ?

105 PIERROT – Je veux que l'en fasse comme l'en fait quand l'en aime comme il faut.

CHARLOTTE – Ne t'aimé-je pas aussi comme il faut ?

PIERROT – Non : quand ça est, ça se voit, et l'en fait mille petites singeries aux personnes quand on les aime du bon du cœur.
110 Regarde la grosse Thomasse, comme elle est assotée[3] du jeune Robain : alle est toujou autour de li à l'agacer, et ne le laisse jamais en repos ; toujou al li fait queuque niche[4] ou li baille quelque taloche[5] en passant ; et l'autre jour qu'il estoit assis sur un escabiau, al fut le tirer de dessous li, et le fit choir tout de son
115 long par tarre. Jarni ! vlà où l'en voit les gens qui aimont ; mais toi, tu ne me dis jamais mot, t'es toujou là comme eune vraie souche de bois, et je passerois vingt fois devant toi, que tu ne te grouillerois pas[6] pour me bailler le moindre coup, ou me dire la moindre chose. Ventrequenne[7] ! ça n'est pas bian, après tout, et
120 t'es trop froide pour les gens.

CHARLOTTE – Que veux-tu que j'y fasse ? C'est mon himeur, et je ne me pis refondre[8].

PIERROT – Ignia himeur qui quienne. Quand en a l'amiquié pour les personnes, l'an en baille toujou queuque petite signifiance.

125 CHARLOTTE – Enfin je t'aime tout autant que je pis, et si tu n'es pas content de ça, tu n'as qu'à en aimer queuque autre.

notes

1. **mon guieu** : mon Dieu.
2. **deguaine** : façon.
3. **assotée** : entichée, obsédée par.
4. **niche** : farce.
5. **li baille quelque taloche** : lui donne une tape.
6. **tu ne te grouillerois pas** : tu ne bougerais pas.
7. **ventrequenne** : par le ventre de Dieu.
8. **je ne me pis refondre** : je ne peux me refaire.

58

PIERROT – Eh bien ! vlà pas mon compte[1]. Testigué[2] ! si tu m'aimois, me dirois-tu ça ?

CHARLOTTE – Pourquoi me viens-tu aussi tarabuster l'esprit ?

130 PIERROT – Morqué[3] ! queu mal te fais-je ? Je ne te demande qu'un peu d'amiquié.

CHARLOTTE – Eh bian ! laisse faire aussi, et ne me presse point tant. Peut-être que ça viendra tout d'un coup sans y songer.

PIERROT – Touche donc là[4], Charlotte.

135 CHARLOTTE – Eh bien ! quien[5].

PIERROT – Promets-moi donc que tu tâcheras de m'aimer davantage.

CHARLOTTE – J'y ferai tout ce que je pourrai, mais il faut que ça vienne de lui-même. Piarrot, est-ce là ce Monsieur ?

140 PIERROT – Oui, le vlà.

CHARLOTTE – Ah ! mon quieu, qu'il est genti[6], et que ç'auroit été dommage qu'il eût été nayé !

PIERROT – Je revians tout à l'heure : je m'en vas boire chopaine[7] pour me rebouter[8] tant soit peu de la fatigue que j'ais eue.

---

notes

1. **vlà pas mon compte** : cela ne me convient pas, ne fait pas mon affaire.
2. **testigué** : par la tête de Dieu.

3. **morqué** : par la mort de Dieu.
4. **touche donc là** : donne-moi la main.
5. **quien** : tiens.

6. **genti** : bel homme.
7. **chopaine** : petite bouteille de vin.
8. **rebouter** : remettre.

Scène 2 DON JUAN, SGANARELLE, CHARLOTTE

145 DON JUAN – Nous avons manqué notre coup, Sganarelle, et cette bourrasque imprévue a renversé avec notre barque le projet que nous avions fait ; mais, à te dire vrai, la paysanne que je viens de quitter répare ce malheur, et je lui ai trouvé des charmes qui effacent de mon esprit tout le chagrin que me donnait le mau-
150 vais succès[1] de notre entreprise. Il ne faut pas que ce cœur m'échappe, et j'y ai déjà jeté des dispositions à ne pas me souf-frir longtemps de pousser des soupirs[2].

SGANARELLE – Monsieur, j'avoue que vous m'étonnez[3]. À peine sommes-nous échappés d'un péril de mort, qu'au lieu de rendre
155 grâce au Ciel de la pitié qu'il a daigné prendre de nous, vous travaillez tout de nouveau à attirer sa colère par vos fantaisies accoutumées et vos amours cr...[4] Paix ! coquin que vous êtes ; vous ne savez ce que vous dites, et Monsieur sait ce qu'il fait. Allons.

160 DON JUAN, *apercevant Charlotte* – Ah ! ah ! d'où sort cette autre paysanne, Sganarelle ? As-tu rien vu de plus joli ? et ne trouves-tu pas, dis-moi, que celle-ci vaut bien l'autre ?

SGANARELLE – Assurément. Autre pièce[5] nouvelle.

DON JUAN – D'où me vient, la belle, une rencontre si agréable ?
165 Quoi ? dans ces lieux champêtres, parmi ces arbres et ces rochers, on trouve des personnes faites comme vous êtes ?

CHARLOTTE – Vous voyez, Monsieur.

DON JUAN – Êtes-vous de ce village ?

CHARLOTTE – Oui, Monsieur.

notes ....

1. **mauvais succès** : échec.
2. **j'y ai déjà […] soupirs** : je l'ai déjà mise en condition telle qu'elle ne me laissera pas longtemps soupirer.
3. **m'étonnez** : me sidérez.
4. **cr...** : criminelles.
5. **pièce** : tromperie.

170   DON JUAN – Et vous y demeurez ?

CHARLOTTE – Oui, Monsieur.

DON JUAN – Vous vous appelez ?

CHARLOTTE – Charlotte, pour vous servir.

DON JUAN – Ah ! la belle personne, et que ses yeux sont
175   pénétrants !

CHARLOTTE – Monsieur, vous me rendez toute honteuse.

DON JUAN – Ah ! n'ayez point de honte d'entendre dire vos
vérités. Sganarelle, qu'en dis-tu ? Peut-on rien voir de plus
agréable ? Tournez-vous un peu, s'il vous plaît. Ah ! que cette
180   taille est jolie ! Haussez un peu la tête, de grâce. Ah ! que ce
visage est mignon ! Ouvrez vos yeux entièrement. Ah ! qu'ils
sont beaux ! Que je voie un peu vos dents, je vous prie. Ah !
qu'elles sont amoureuses[1], et ces lèvres appétissantes ! Pour moi,
je suis ravi, et je n'ai jamais vu une si charmante personne.

185   CHARLOTTE – Monsieur, cela vous plaît à dire, et je ne sais pas si
c'est pour vous railler[2] de moi.

DON JUAN – Moi, me railler de vous ? Dieu m'en garde ! je vous
aime trop pour cela, et c'est du fond du cœur que je vous parle.

CHARLOTTE – Je vous suis bien obligée[3], si ça est.

190   DON JUAN – Point du tout, vous ne m'êtes point obligée de tout
ce que je dis, et ce n'est qu'à votre beauté que vous en êtes
redevable.

CHARLOTTE – Monsieur, tout ça est trop bien dit pour moi, et je
n'ai pas d'esprit pour vous répondre.

195   DON JUAN – Sganarelle, regarde un peu ses mains.

notes

1. amoureuses : admirables, dignes d'être aimées. | **2. railler** : moquer. | **3. obligée** : reconnaissante.

CHARLOTTE – Fi ! Monsieur, elles sont noires comme je ne sais quoi.

DON JUAN – Ha ! que dites-vous là ? Elles sont les plus belles du monde ; souffrez que je les baise, je vous prie.

200 CHARLOTTE – Monsieur, c'est trop d'honneur que vous me faites, et, si j'avais su ça tantôt, je n'aurais pas manqué de les laver avec du son.

DON JUAN – Et dites-moi un peu, belle Charlotte, vous n'êtes pas mariée, sans doute ?

205 CHARLOTTE – Non, Monsieur ; mais je dois bientôt l'être avec Piarrot, le fils de la voisine Simonette.

DON JUAN – Quoi ! une personne comme vous serait la femme d'un simple paysan ? Non, non, c'est profaner[1] tant de beautés, et vous n'êtes pas née pour demeurer dans un village. Vous 210 méritez sans doute une meilleure fortune, et le Ciel, qui le connaît[2] bien, m'a conduit ici tout exprès pour empêcher ce mariage, et rendre justice à vos charmes ; car enfin, belle Charlotte, je vous aime de tout mon cœur, et il ne tiendra qu'à vous que je vous arrache de ce misérable lieu, et ne vous mette 215 dans l'état où vous méritez d'être. Cet amour est bien prompt sans doute ; mais quoi ! c'est un effet, Charlotte, de votre grande beauté, et l'on vous aime autant en un quart d'heure, qu'on ferait une autre en six mois.

CHARLOTTE – Aussi vrai, Monsieur, je ne sais comment faire 220 quand vous parlez. Ce que vous dites me fait aise, et j'aurois toutes les envies du monde de vous croire ; mais on m'a toujou dit qu'il ne faut jamais croire les Monsieux, et que vous autres courtisans êtes des enjôleus, qui ne songez qu'à abuser[3] les filles.

---

notes

1. **profaner** : manquer de respect à.   2. **connaît** : sait.   3. **abuser** : tromper.

DON JUAN – Je ne suis pas de ces gens-là.

225 SGANARELLE – Il n'a garde[1].

CHARLOTTE – Voyez-vous, Monsieur, il n'y a pas plaisir à se laisser abuser. Je suis une pauvre paysanne ; mais j'ai l'honneur en recommandation[2], et j'aimerois mieux me voir morte, que de me voir déshonorée.

230 DON JUAN – Moi, j'aurais l'âme assez méchante pour abuser une personne comme vous ? Je serais assez lâche pour vous déshonorer ? Non, non, j'ai trop de conscience pour cela. Je vous aime, Charlotte, en tout bien et en tout honneur ; et pour vous montrer que je vous dis vrai, sachez que je n'ai point d'autre
235 dessein que de vous épouser : en voulez-vous un plus grand témoignage ? M'y voilà prêt quand vous voudrez ; et je prends à témoin l'homme que voilà de la parole que je vous donne.

SGANARELLE – Non, non, ne craignez point : il se mariera avec vous tant que vous voudrez.

240 DON JUAN – Ah ! Charlotte, je vois bien que vous ne me connaissez pas encore. Vous me faites grand tort de juger de moi par les autres ; et s'il y a des fourbes dans le monde, des gens qui ne cherchent qu'à abuser des filles, vous devez me tirer du nombre, et ne pas mettre en doute la sincérité de ma foi[3]. Et puis votre
245 beauté vous assure de tout. Quand on est faite comme vous, on doit être à couvert de toutes ces sortes de crainte ; vous n'avez point l'air, croyez-moi, d'une personne qu'on abuse ; et pour moi, je l'avoue, je me percerais le cœur de mille coups, si j'avais eu la moindre pensée de vous trahir.

250 CHARLOTTE – Mon Dieu ! je ne sais si vous dites vrai, ou non ; mais vous faites que l'on vous croit.

passage analysé

notes ························

1. il n'a garde : il se garde bien (d'être de ces gens-là).

2. j'ai l'honneur en recommandation : j'ai le souci de mon honneur.

3. foi : promesse.

Charlotte et Don Juan (Pierre Arditi),
mise en scène de Marcel Maréchal
(Théâtre de La Criée à Marseille, 1988).

DON JUAN – Lorsque vous me croirez, vous me rendrez justice assurément, et je vous réitère[1] encore la promesse que je vous ai faite. Ne l'acceptez-vous pas, et ne voulez-vous pas consentir
255   à être ma femme ?

CHARLOTTE – Oui, pourvu que[2] ma tante le veuille.

DON JUAN – Touchez donc là, Charlotte, puisque vous le voulez bien de votre part.

CHARLOTTE – Mais au moins, Monsieur, ne m'allez pas tromper,
260   je vous prie : il y aurait de la conscience à vous[3], et vous voyez comme j'y vais à la bonne foi[4].

DON JUAN – Comment ? Il semble que vous doutiez encore de ma sincérité ! Voulez-vous que je fasse des serments épouvantables ? Que le Ciel...

265   CHARLOTTE – Mon Dieu, ne jurez point, je vous crois.

DON JUAN – Donnez-moi donc un petit baiser pour gage de votre parole.

CHARLOTTE – Oh ! Monsieur, attendez que je soyons mariés, je vous prie ; après ça, je vous baiserai tant que vous voudrez.

270   DON JUAN – Eh bien ! belle Charlotte, je veux tout ce que vous voulez ; abandonnez-moi seulement votre main, et souffrez que, par mille baisers, je lui exprime le ravissement où je suis...

---

notes

1. réitère : renouvelle.	**3. il y aurait de la conscience à vous :** vous vous sentiriez coupable.	**4. j'y vais à la bonne foi :** je vous fais confiance.
2. pourvu que : à condition que.		

Le séducteur à l'œuvre

Lecture analytique de l'extrait p. 60, ligne 145 à p. 63, ligne 251

Dès la première scène de la pièce, Sganarelle déclare à Gusman que s'il fallait dresser la liste de toutes les femmes que Don Juan a séduites en leur promettant le mariage *« ce serait un chapitre à durer jusques au soir »* (p. 28, l. 70 et 71). Il raconte ensuite comment Don Juan a séduit puis abandonné Done Elvire pour une jeune fille dont il projette l'enlèvement. Dans la scène 1 de l'acte II, Pierrot révèle à Charlotte comment Mathurine est tombée sous le charme de Don Juan. Ce dernier déclare plus tard à Sganarelle que la jeune paysanne le consolera de l'échec de son projet initial. C'est alors qu'il découvre Charlotte.

Après tous ces récits, l'histoire de Charlotte va constituer une nouvelle entreprise menée maintenant sous les yeux mêmes du spectateur qui va ainsi pouvoir apprécier la technique de *« l'épouseur à toutes mains »*. Mais quelle va être l'incidence de cette action sur l'image de Don Juan construite par les récits ? Va-t-il sortir grandi ou déprécié de s'attaquer maintenant à une paysanne ? Que penser de plus de cette quatrième proie ? La prendrons-nous en pitié ou la jugerons-nous sévèrement ? On ne peut non plus ignorer la distance sociale entre les deux protagonistes* que les spectateurs du XVIIe siècle percevaient d'une manière très différente de la nôtre et qui donnait à la scène une tonalité* satirique*.

Un lien commun théâtral : la scène de séduction

Qu'il s'agisse de comédie ou de tragédie, l'amour est un ressort essentiel de l'action théâtrale. Les contradictions entre l'amour et le devoir, l'amour et la raison, les rapports ambigus de l'amour et du pouvoir, les drames de la jalousie alimentent la tragédie.

* : Cf. Lexique.

Extrait, pp. 60 à 63

La comédie classique met en scène l'amour d'un jeune couple contrarié par la manie d'un père ou le ridicule d'inclinations mal assorties.

Ces scènes de séduction opposent un chasseur et une proie consentante ou rusée. Car le cynisme* peut exister de part et d'autre. Qui cherche à séduire qui ? L'entreprise est-elle légitime ou indigne ? Le séducteur est-il bien reçu ou rejeté ? Quelle est sa stratégie, pour reprendre la métaphore militaire filée par Don Juan lui-même, ses chances de succès ?

La scène de séduction est l'occasion d'une critique des caractères : Tartuffe révèle son hypocrisie, son ingratitude en tentant de séduire Elmire, l'épouse de son hôte. Les barbons qui veulent s'approprier de jeunes innocentes en abusant de leur autorité montrent leur sottise. Le discours moral apparaît quand la raison s'évapore sous l'effet du désir, de l'intérêt ou de la volonté de pouvoir. Il est souvent prononcé par un personnage raisonnable et posé. La sanction du rire est fréquente au cours de l'entreprise. On peut se demander si les protagonistes sortent grandis ou avilis de cette confrontation.

Une question de stratégie

❶ Analysez les caractéristiques de la situation de séduction. Vous étudierez particulièrement l'attitude des personnages et leur stratégie.
❷ Retrouvez les différents éléments de l'argumentation de Don Juan et évaluez leur efficacité.

Critique des caractères

❸ Quelle est la motivation de Don Juan dans cette affaire ? Cette entreprise modifie-t-elle l'idée que le spectateur se faisait jusque-là de son comportement ?
❹ Répertoriez les réactions de Charlotte et ce qu'elles révèlent de sa personnalité ?

* : Cf. Lexique.

Une réception différente au fil du temps

Au XVIIᵉ siècle, les classes sociales étaient perçues comme irréductiblement étanches. Les paysans étaient considérés comme des êtres d'une nature inférieure, frustres et niais. Charlotte prouve sa bêtise en imaginant qu'un grand seigneur puisse tomber amoureux d'elle et l'épouser. Les paysans, par ailleurs, considéraient les nobles comme des extraterrestres comme le révèle la description que Pierrot fait du costume de Don Juan dans la scène précédente. Au XVIIᵉ siècle, ce genre de situation est extrêmement comique. L'ironie* des remarques de Sganarelle, qui ne sont pas perçues par Charlotte, le confirme.

Le décalage des deux mondes se traduit par la différence des langages malgré les efforts faits par l'un et l'autre pour les atténuer. Don Juan ne s'adresse pas à Charlotte comme à Elvire et Charlotte ne s'adresse pas à Don Juan comme à Pierrot.

Aujourd'hui, la Révolution ayant posé le principe d'égalité, les écarts sociaux semblent réduits. La scène peut alors changer de tonalité*. De ridicule Charlotte peut devenir émouvante. C'est une innocente comme il en existe aussi aujourd'hui qui pense que comme dans les contes de fées, les bergères épousent parfois des princes.

On peut aussi modifier le sens de l'entreprise de Don Juan. Pour lui, toutes les femmes se valent, elles sont toutes à conquérir belles ou laides, valorisantes ou non. Il s'intéresse à la manœuvre, non à la valeur de la proie. La scène est devenue ambiguë et les metteurs en scène peuvent y trouver des justifications à des interprétations très différentes. Le choix du maquillage, des costumes et du décor a une incidence sur le ton de la scène. Il peut s'agir de la confrontation d'un obsédé et d'une idiote ou d'un cynique* et d'une innocente.

.... **Satire des mœurs** ....

❺ Quels propos dans le discours de Don Juan montrent qu'il se moque d'elle à son insu ?

* : *Cf.* Lexique.

❻ Quelles réponses de la jeune fille nous empêchent de nous apitoyer sur son sort ?

❼ Étudiez l'enchaînement des répliques* et les champs lexicaux utilisés par les deux protagonistes*.

.... **Une interprétation différente aujourd'hui** ....

❽ Sur quelles répliques s'appuieraient des interprétations pathétiques ou sérieuses ? Quelle diction, quelle gestuelle les acteurs devraient-ils adopter?

❾ Observez les photographies de mise en scène aux pages 64 et 81.

Pouvez-vous déduire des costumes et des attitudes des paysannes le point de vue que le metteur en scène adopte sur leur personnalité ?

Un valet omniprésent

Sganarelle ne quitte pratiquement pas la scène de toute la pièce. Même en tant que spectateur muet, il parasite l'échange entre Don Juan et ses interlocuteurs. Il est le témoin que le héros recherche constamment pour donner plus de sel à ses forfaits, celui qu'il se plaît à scandaliser, imaginant provoquer à travers lui la terre entière.

Le valet commente en aparté* les propos de Don Juan sans participer à la discussion. Il exprime alors sa crainte, son indignation, se faisant l'écho des réactions silencieuses du public. Ces interventions renforcent l'effet dramatique des menées scandaleuses du maître (I, 3 ; III, 5 ; V, 2).

Il tente parfois de rendre service à Pierrot (II, 3) mais récolte le soufflet qui était destiné au paysan; il veut détromper Charlotte et Mathurine lors de la fausse sortie* de Don Juan (II, 4) mais se dédit bien vite dès le retour de son maître dont il prend le parti sous la contrainte (IV, 5).

* : Cf. Lexique.

Sganarelle joue le rôle tenu dans d'autres pièces par des frères, beaux-frères et amis raisonnables quand il essaye de culpabiliser Don Juan mais il met en avant les normes morales et non la sagesse. La faiblesse de cette argumentation le rend ridicule aux yeux de son maître comme à ceux du public. Dans ces discussions contradictoires, il sert plutôt de faire-valoir* à Don Juan.

Sur Sganarelle reposent également les contradictions et retournements comiques qui allègent l'ambiance de la pièce. Victime persécutée, ridicule de vouloir se confronter à Don Juan, il pourrait être pathétique* si, en même temps, il ne profitait pas de la situation.

.... **Le rôle de Sganarelle** ....

⑩ Analysez le rôle de Sganarelle dans cette scène.

⑪ En quoi sa seule présence influe-t-elle sur le comportement des deux autres personnages ?

* : *Cf.* Lexique.

Le personnage de la paysanne dans la comédie

Lectures croisées et travaux d'écriture

Le personnage de la paysanne dans la comédie s'est chargé au fil du temps de valeurs différentes. Le mot latin *rusticus* qui désignait ce qui appartenait à la campagne a évolué en « rustre », adjectif caractérisant un comportement social brusque et peu courtois. À l'inverse, le mot *urbanité*, dérivé de *urbs* (la ville) caractérise une façon d'être courtoise, acquise en ville au contact d'autrui. Le paysan est au départ un être mal dégrossi, ignorant, que son mode de vie rapproche de l'animal. Il est peu soigné et ne connaît pas les raffinements de la civilisation. Mais au XVIIIe siècle, les valeurs s'inversent. Les citadins sont montrés comme dépravés tandis que les paysans ont su garder les vertus naturelles. Le peuple ose, de plus, se manifester face aux nobles comme en témoigne par exemple l'œuvre de Beaumarchais. Les romantiques contribuent à valoriser le peuple dont ils se font parfois les porte-parole.

Marivaux, *La Double Inconstance*

Le Prince a été séduit par la jeune paysanne, Sylvia, qu'il a fait enlever. Amoureuse de son fiancé, Arlequin, elle résiste d'abord à la passion du Prince. Mais Flaminia, une dame de la cour, intervient pour seconder les projets du Prince.

SILVIA – Bon ! moi, je ne parais rien, je suis toute d'une pièce auprès d'elles ; je demeure là, je ne vais ni ne viens ; au lieu qu'elles, elles sont d'une humeur joyeuse, elles ont des yeux qui caressent tout le monde ; elles ont une mine hardie, une beauté libre qui ne se gêne point, qui est sans façon ; cela plaît davantage que non pas une honteuse comme moi, qui n'ose regarder les gens et qui est confuse qu'on la trouve belle.

FLAMINIA – Eh ! voilà justement ce qui touche le Prince, voilà ce qu'il estime ! C'est cette ingénuité, cette beauté simple, ce sont ces grâces naturelles. Eh ! croyez-moi, ne louez pas tant les femmes d'ici ; car elles ne vous louent guère.

SILVIA – Qu'est-ce donc qu'elles disent ?

FLAMINIA – Des impertinences ; elles se moquent de vous, raillent le Prince, lui demandent comment se porte sa beauté rustique[1]. «Y a-t-il de visage plus commun ? disaient l'autre jour ces jalouses entre elles ; de taille plus gauche ? » Là-dessus l'une vous prenait par les yeux, l'autre par la bouche ; il n'y avait pas jusqu'aux hommes qui ne vous trouvaient pas trop jolie. J'étais dans une colère !…

SILVIA – *(fâchée)* Pardi ! voilà de vilains hommes, de trahir comme cela leur pensée pour plaire à ces sottes-là !

FLAMINIA – Sans difficulté !

SILVIA – Que je hais ces femmes-là ! Mais puisque je suis si peu agréable à leur compte, pourquoi donc est-ce que le Prince m'aime et qu'il les laisse là ?

FLAMINIA – Oh ! elles sont persuadées qu'il ne vous aimera pas longtemps, que c'est un caprice qui lui passera, et qu'il en rira tout le premier.

SILVIA – *(piquée[2] et après avoir regardé Flaminia)* Hum ! elles sont bien heureuses que j'aime Arlequin ; sans cela, j'aurais grand plaisir à les faire mentir, ces babillardes-là.

FLAMINIA – Ah ! qu'elles méritaient bien d'être punies ! Je leur ai dit : « Vous faites ce que vous pouvez pour faire renvoyer Silvia et pour plaire au Prince ; et, si elle voulait, il ne daignerait pas vous regarder. »

SILVIA – Pardi ! vous voyez bien ce qui en est ; Il ne tient qu'à moi de les confondre.

Marivaux, *La Double Inconstance,* 1723.

1. rustique : paysanne. 2. piquée : vexée.

Beaumarchais, *Le Mariage de Figaro*

Figaro, valet du Comte Almaviva, doit épouser ce jour, Suzanne, la camériste de la comtesse. Le Comte, séduit par Suzanne, voudrait obtenir d'elle un rendez-vous et n'hésite pas à exercer un véritable chantage. Suzanne est obligée de ruser et avec l'aide de sa maîtresse tend un piège au comte en lui fixant un rendez-vous à l'insu de Figaro. Le Comte confie sa réponse à Fanchette, jeune cousine naïve de Suzanne, qu'il courtise également.

FIGARO – Eh !… ma petite cousine qui nous écoute.

FANCHETTE – Oh ! Pour ça non, on dit que c'est malhonnête.

FIGARO – Il est vrai ; mais comme cela est utile on fait souvent aller souvent l'un pour l'autre.

FANCHETTE – Je regardais si quelqu'un était là.

FIGARO – Déjà dissimulée[1], friponne, vous savez bien qu'il n'y peut être.

FANCHETTE – Et qui donc ?

FIGARO – Chérubin.

FANCHETTE – Ce n'est pas lui que je cherche, car je sais fort bien où il est, c'est ma cousine Suzanne.

FIGARO – Et que lui veut ma petite cousine ?

FANCHETTE – À vous, petit cousin, je le dirai. C'est… ce n'est qu'une épingle que je veux lui remettre.

FIGARO, *vivement* – Une épingle ! Une épingle ! … Et de quelle part, coquine ? À votre âge, vous faites déjà un mét… *(Il se reprend et dit d'un ton doux.)* Vous faites déjà très bien tout ce que vous entreprenez, Fanchette ; et ma jolie cousine est si obligeante…

FANCHETTE – À qui donc en a-t-il de se fâcher ? Je m'en vais.

FIGARO, *l'arrêtant* – Non, non, je badine. Tiens, ta petite épingle est celle que Monseigneur t'a dit de remettre à Suzanne, et qui servait à cacheter[2] un petit papier qu'il tenait : tu vois que je suis au fait.

Beaumarchais, *Le Mariage de Figaro*, 1784.

1. dissimulée : hypocrite. 2. cacheter : tenir fermé.

Alfred de Musset, *On ne badine pas avec l'amour*

Perdican a achevé ses études et revient à la propriété familiale. Sa famille envisage un mariage avec sa cousine Camille qui sort du couvent. Mais celle-ci lui annonce qu'elle ne veut pas se marier. Perdican propose une promenade à Rosette, une jeune fille simple et aimante, sœur de lait de Camille.

SCÈNE 3. *Un champ devant une petite maison.*

Entrent ROSETTE et PERDICAN.

PERDICAN – Puisque ta mère n'y est pas, viens faire un tour de promenade.

ROSETTE – Croyez-vous que cela me fasse du bien, tous ces baisers que vous me donnez ?

PERDICAN – Quel mal y trouves-tu ? Je t'embrasserais devant ta mère. N'es-tu pas la sœur de Camille ? Ne suis-je pas ton frère comme je suis le sien ?

ROSETTE – Des mots sont des mots et des baisers sont des baisers. Je n'ai guère d'esprit, et je m'en aperçois bien sitôt que je veux dire quelque chose. Les belles dames savent leur affaire, selon qu'on leur baise la main droite ou la main gauche ; leurs pères les embrassent sur le front, leurs frères sur la joue, leur amoureux sur les lèvres ; moi, tout le monde m'embrasse sur les deux joues, et cela me chagrine.

PERDICAN – Que tu es jolie, mon enfant !

ROSETTE – Il ne faut pas non plus vous fâcher pour cela. Comme vous paraissez triste ce matin ! Votre mariage est donc manqué ?

PERDICAN – Les paysans de ton village se souviennent de m'avoir aimé ; les chiens de la basse-cour et les arbres du bois s'en souviennent aussi ; mais Camille ne s'en souvient pas. Et toi, Rosette, à quand le mariage ?

ROSETTE – Ne parlons pas de cela, voulez-vous ? Parlons du temps qu'il fait, de ces fleurs que voilà, de vos chevaux et de mes bonnets.

PERDICAN – De tout ce qui te plaira, de tout ce qui peut passer sur tes lèvres sans leur ôter ce sourire céleste que je respecte plus que ma vie. *(Il l'embrasse.)*

ROSETTE – Vous respectez mon sourire, mais vous ne respectez guère mes lèvres, à ce qu'il me semble. Regardez donc, voilà une goutte de pluie qui me tombe sur la main, et cependant le ciel est pur.

PERDICAN – Pardonne-moi.

ROSETTE – Que vous ai-je fait, pour que vous pleuriez ? *(Ils sortent.)*

Alfred de Musset, *On ne badine pas l'amour*, 1834.

Corpus

Texte A : Scène 2 de l'acte II de *Dom Juan* de Molière (p. 60, ligne 164, à p. 62, ligne 202).

Texte B : Scène 1 de l'acte II de *La Double Inconstance* de Marivaux (p. 71 et p. 72).

Texte C : Scène 14 de l'acte IV du *Mariage de Figaro* de Beaumarchais (p. 72 et p. 73).

Texte D : Scène 3 de l'acte II de *On ne badine pas avec l'amour* d'Alfred de Musset (p. 73 et p. 74).

Examen des textes

❶ Dans le texte B, comment le langage de Sylvia traduit-il sa simplicité ?

❷ Dans le texte B, quels pièges Flaminia tend-elle à Sylvia ?

❸ En quoi consiste la naïveté de Fanchette ? (texte C)

❹ De quelle façon la naïveté de Fanchette piège-t-elle Figaro ? (texte C)

❺ L'opposition que Rosette voit entre les belles dames et elle reprend certains propos de Sylvia, lesquels ? (texte D)

❻ Dans le texte D, quels éléments implicites rendent la scène émouvante ?

Travaux d'écriture

Question préliminaire
À quels indices relève-t-on la naïveté des personnages de paysannes dans ces quatre pièces ?

Commentaire
Vous commenterez le texte B.

Dissertation
Peut-on parler à partir des personnages de Charlotte et Mathurine, Sylvia, Fanchette et Rosette d'une évolution du personnage des paysans dans la comédie ?

Écriture d'invention
Perdican, de retour dans sa famille après plusieurs années d'études, revoie Rosette, la sœur de lait de Camille, la cousine qu'il doit épouser. Il écrit à un de ses amis, étudiant parisien, ses impressions sur la jeune paysanne qu'il vient de retrouver. Rédigez cette lettre.

Scène 3

DON JUAN, SGANARELLE,
PIERROT, CHARLOTTE

PIERROT, *se mettant entre deux et poussant Don Juan* – Tout doucement, Monsieur, tenez-vous, s'il vous plaît. Vous vous échauffez
275 trop, et vous pourriez gagner la purésie[1].

DON JUAN, *repoussant rudement Pierrot* – Qui m'amène cet
impertinent ?

PIERROT – Je vous dis qu'ou vous tegniez[2], et qu'ou ne caressiais
point nos accordées[3].

280 DON JUAN, *continue de le repousser* – Ah ! que de bruit !

PIERROT – Jerniquenne[4] ! ce n'est pas comme ça qu'il faut
pousser les gens.

CHARLOTTE, *prenant Pierrot par le bras* – Et laisse-le faire aussi, Piarrot.

PIERROT – Quement ? que je le laisse faire ? Je ne veux pas, moi.

285 DON JUAN – Ah !

PIERROT – Testiguenne[5] ! parce qu'ous êtes monsieu, ous viendrez
caresser nos femmes à note barbe[6] ? Allez-v's-en caresser les vôtres.

DON JUAN – Heu ?

PIERROT – Heu. *(Don Juan lui donne un soufflet.)* Testigué[7] ! ne me
290 frappez pas. *(Autre soufflet.)* Oh ! jernigué[8] ! *(Autre soufflet.)*
Ventrequé[9] ! *(Autre soufflet.)* Palsanqué[10] ! Morquenne[11] ! ça
n'est pas bian de battre les gens et ce n'est pas là la récompen-
se de v's avoir sauvé d'être nayé.

---

notes

1. **purésie** : pleurésie, inflammation de la membrane enveloppant les poumons.
2. **qu'ou vous tegniez** : que vous vous conteniez.
3. **accordées** : fiancées.
4. **jerniquenne** : juron.

5. **testiguenne** : par la tête de Dieu.
6. **à note barbe** : sous notre nez.
7. **testigué** : par la tête de Dieu.
8. **jernigué** : je renie Dieu.

9. **ventrequé** : par le ventre de Dieu.
10. **palsanqué** : par le sang de Dieu.
11. **morquenne** : par la mort de Dieu.

CHARLOTTE – Pierrot, ne te fâche point.

295 PIERROT – Je me veux fâcher ; et t'es une vilaine, toi, d'endurer[1] qu'on te cajole.

CHARLOTTE – Oh ! Piarrot, ce n'est pas ce que tu penses. Ce monsieur veut m'épouser, et tu ne dois pas te bouter[2] en colère.

PIERROT – Quement ? Jerni[3] ! tu m'es promise.

300 CHARLOTTE – Ça n'y fait rien, Piarrot. Si tu m'aimes, ne dois-tu pas être bien aise que je devienne Madame ?

PIERROT – Jerniqué ! non. J'aime mieux te voir crevée que de te voir à un autre.

CHARLOTTE – Va, va, Piarrot, ne te mets point en peine : si je
305 sis Madame, je te ferai gagner queuque chose et tu apporteras du beurre et du fromage cheux nous.

PIERROT – Ventrequenne ! je gni en porterai jamais, quand tu m'en poyerois deux fois autant. Est-ce donc comme ça que t'écoutes ce qu'il te dit ? Morquenne ! si j'avois su ça tantôt,
310 je me serois bian gardé de le tirer de gliau, et je gli aurois baillé un bon coup d'aviron sur la tête.

DON JUAN, *s'approchant de Pierrot pour le frapper* – Qu'est-ce que vous dites ?

PIERROT, *s'éloignant derrière Charlotte* – Jerniquenne ! je ne crains
315 parsonne.

DON JUAN, *passe du côté où est Pierrot* – Attendez-moi un peu.

PIERROT, *repasse de l'autre côté de Charlotte* – Je me moque de tout, moi.

DON JUAN, *court après Pierrot* – Voyons cela.

320 PIERROT, *se sauve encore derrière Charlotte* – J'en avons bien vu d'autres.

notes

| **1. d'endurer :** d'accepter. | **2. bouter :** mettre. | **3. jerni :** je ne suis pas d'accord. |

DON JUAN – Houais !

SGANARELLE – Eh ! Monsieur, laissez là ce pauvre misérable. C'est conscience[1] de le battre. Écoute, mon pauvre garçon, retire-toi, et ne lui dis rien.

325 PIERROT, *passe devant Sganarelle et dit fièrement à Don Juan* – Je veux lui dire, moi !

DON JUAN, *lève la main pour donner un soufflet à Pierrot, qui baisse la tête, et Sganarelle reçoit le soufflet* – Ah ! je vous apprendrai.

SGANARELLE, *regardant Pierrot, qui s'est baissé pour éviter le soufflet* – 330 Peste soit du maroufle[2] !

DON JUAN – Te voilà payé de ta charité.

PIERROT – Jarni ! je vas dire à sa tante tout ce ménage-ci[3].

DON JUAN – Enfin je m'en vais être le plus heureux de tous les hommes, et je ne changerais pas mon bonheur à[4] toutes les 335 choses du monde. Que de plaisirs quand vous serez ma femme ! et que...

Scène 4

DON JUAN, SGANARELLE,
CHARLOTTE, MATHURINE

SGANARELLE, *apercevant Mathurine* – Ah ! ah !

MATHURINE, *à Don Juan* – Monsieur, que faites-vous donc là avec Charlotte ? Est-ce que vous lui parlez d'amour aussi ?

340 DON JUAN, *à Mathurine* – Non, au contraire, c'est elle qui me témoignait une envie d'être ma femme, et je lui répondais que j'étais engagé à vous.

notes ....

1. c'est conscience : c'est mal.	**2. peste soit du maroufle :** que la peste emporte ce gredin.	**3. tout ce ménage-ci :** toute cette affaire. **4. à :** contre.

CHARLOTTE – Qu'est-ce que c'est donc que vous veut Mathurine ?

345 DON JUAN, *bas à Charlotte* – Elle est jalouse de me voir vous parler, et voudrait bien que je l'épousasse ; mais je lui dis que c'est vous que je veux.

MATHURINE – Quoi ? Charlotte...

DON JUAN, *bas à Mathurine* – Tout ce que vous lui direz sera
350 inutile ; elle s'est mis cela dans la tête.

CHARLOTTE – Quement donc ! Mathurine...

DON JUAN, *bas à Charlotte* – C'est en vain que vous lui parlerez ; vous ne lui ôterez point cette fantaisie[1].

MATHURINE – Est-ce que... ?

355 DON JUAN, *bas à Mathurine* – Il n'y a pas moyen de lui faire entendre raison.

CHARLOTTE – Je voudrais...

DON JUAN, *bas à Charlotte* – Elle est obstinée comme tous les diables.

360 MATHURINE – Vramant...

DON JUAN, *bas à Mathurine* – Ne lui dites rien, c'est une folle.

CHARLOTTE – Je pense...

DON JUAN, *bas à Charlotte* – Laissez-la là, c'est une extravagante.

MATHURINE – Non, non : il faut que je lui parle.

365 CHARLOTTE – Je veux voir un peu ses raisons[2].

MATHURINE – Quoi ?...

DON JUAN, *bas à Mathurine* – Je gage[3] qu'elle va vous dire que je lui ai promis de l'épouser.

notes ....

| **1. fantaisie** : idée fixe. | **2. raisons** : explications. | **3. je gage** : je parie.

CHARLOTTE – Je...

370 DON JUAN, *bas à Charlotte* – Gageons qu'elle vous soutiendra que je lui ai donné parole de la prendre pour femme.

MATHURINE – Holà ! Charlotte, ça n'est pas bien de courir sur le marché des autres[1].

CHARLOTTE – Ça n'est pas honnête, Mathurine, d'être jalouse
375 que Monsieur me parle.

MATHURINE – C'est moi que Monsieur a vue la première.

CHARLOTTE – S'il vous a vue la première, il m'a vue la seconde et m'a promis de m'épouser.

DON JUAN, *bas à Mathurine* – Eh bien ! que vous ai-je dit ?

380 MATHURINE – Je vous baise les mains[2], c'est moi, et non pas vous, qu'il a promis d'épouser.

DON JUAN, *bas à Charlotte* – N'ai-je pas deviné ?

CHARLOTTE – À d'autres, je vous prie ; c'est moi, vous dis-je.

MATHURINE – Vous vous moquez des gens ; c'est moi, encore un
385 coup.

CHARLOTTE – Le vlà qui est pour le dire[3], si je n'ai pas raison.

MATHURINE – Le vlà qui est pour me démentir, si je ne dis pas vrai.

CHARLOTTE – Est-ce, Monsieur, que vous lui avez promis de
390 l'épouser ?

DON JUAN, *bas à Charlotte* – Vous vous raillez de moi.

MATHURINE – Est-il vrai, Monsieur, que vous lui avez donné parole d'être son mari ?

notes ....

1. **courir sur le marché des autres :** chercher à s'accaparer les avantages des autres.

2. **je vous baise les mains :** équivalent d'« excusez-moi ».

3. **le vlà qui est pour le dire :** il va le dire lui-même.

DON JUAN, *bas à Mathurine* – Pouvez-vous avoir cette pensée ?

395 CHARLOTTE – Vous voyez qu'al le soutient.

DON JUAN, *bas à Charlotte* – Laissez-la faire.

MATHURINE – Vous êtes témoin comme al l'assure.

DON JUAN, *bas à Mathurine* – Laissez-la dire.

CHARLOTTE – Non, non, il faut savoir la vérité.

400 MATHURINE – Il est question de juger ça[1].

CHARLOTTE – Oui, Mathurine, je veux que Monsieur vous montre votre bec jaune[2].

MATHURINE – Oui, Charlotte, je veux que Monsieur vous rende un peu camuse[3].

**Don Juan entouré de Charlotte et Mathurine,
mise en scène de Jean-Marie Villegier (théâtre de l'Odéon, 1986).**

notes

1. il est question de juger ça : il faut trancher.

2. votre bec jaune : attribut de l'oie, volatile qui symbolise la naïveté, la sottise.

3. vous rende camuse : vous fasse honte.

405   CHARLOTTE – Monsieur, vuidez la querelle[1], s'il vous plaît.

MATHURINE – Mettez-nous d'accord, Monsieur.

CHARLOTTE, *à Mathurine* – Vous allez voir.

MATHURINE, *à Charlotte* – Vous allez voir vous-même.

CHARLOTTE, *à Don Juan* – Dites.

410   MATHURINE, *à Don Juan* – Parlez.

DON JUAN, *embarrassé, leur dit à toutes deux* – Que voulez-vous que je dise ? Vous soutenez également toutes deux que je vous ai promis de vous prendre pour femmes. Est-ce que chacune de vous ne sait pas ce qui en est, sans qu'il soit nécessaire que je m'explique davantage ? Pourquoi m'obliger là-dessus à des redites ? Celle à qui j'ai promis effectivement n'a-t-elle pas en elle-même de quoi se moquer des discours de l'autre, et doit-elle se mettre en peine, pourvu que j'accomplisse ma promesse ? Tous les discours n'avancent point les choses ; il faut faire et non pas dire, et les effets[2] décident mieux que les paroles. Aussi n'est-ce rien que par là que je vous veux mettre d'accord, et l'on verra, quand je me marierai, laquelle des deux a mon cœur. *(Bas, à Mathurine.)* Laissez-lui croire ce qu'elle voudra. *(Bas, à Charlotte.)* Laissez-la se flatter dans son imagination. *(Bas, à Mathurine.)* Je vous adore. *(Bas, à Charlotte.)* Je suis tout à vous. *(Bas, à Mathurine.)* Tous les visages sont laids auprès du vôtre. *(Bas, à Charlotte.)* On ne peut plus souffrir[3] les autres quand on vous a vue. J'ai un petit ordre à donner ; je viens vous retrouver dans un quart d'heure.

430   CHARLOTTE, *à Mathurine* – Je suis celle qu'il aime, au moins.

---

notes

| 1. **vuidez la querelle :** tranchez. | 2. **effets :** actes. |
| | 3. **souffrir :** supporter. |

MATHURINE – C'est moi qu'il épousera.

SGANARELLE – Ah ! pauvres filles que vous êtes, j'ai pitié de votre innocence, et je ne puis souffrir de vous voir courir à votre malheur. Croyez-moi l'une et l'autre : ne vous amusez point à[1]
435 tous les contes qu'on vous fait, et demeurez dans votre village.

DON JUAN, *revenant* – Je voudrais bien savoir pourquoi Sganarelle ne me suit pas.

SGANARELLE – Mon maître est un fourbe ; il n'a dessein que de vous abuser, et en a bien abusé d'autres ; c'est l'épouseur du
440 genre humain, et... *(Il aperçoit Don Juan.)* Cela est faux ; et quiconque vous dira cela, vous lui devez dire qu'il en a menti. Mon maître n'est point l'épouseur du genre humain, il n'est point fourbe, il n'a pas dessein de vous tromper, et n'en a point abusé d'autres. Ah ! tenez, le voilà ; demandez-le plutôt à lui-même.

445 DON JUAN – Oui.

SGANARELLE – Monsieur, comme le monde est plein de médisants, je vais au-devant des choses ; et je leur disais que, si quelqu'un leur venait dire du mal de vous, elles se gardassent bien de le croire, et ne manquassent pas de lui dire qu'il en
450 aurait menti.

DON JUAN – Sganarelle.

SGANARELLE – Oui, Monsieur est homme d'honneur, je le garantis tel.

DON JUAN – Hon !

455 SGANARELLE – Ce sont des impertinents.

notes ··

1. ne vous amusez point à : ne vous laissez pas séduire par, ne perdez pas votre temps.

83

Scène 5

Don Juan, La Ramée,
Charlotte, Mathurine,
Sganarelle

La Ramée – Monsieur, je viens vous avertir qu'il ne fait pas bon ici pour vous.

Don Juan – Comment ?

La Ramée – Douze hommes à cheval vous cherchent, qui doivent arriver ici dans un moment ; je ne sais pas par quel moyen ils peuvent vous avoir suivi ; mais j'ai appris cette nouvelle d'un paysan qu'ils ont interrogé, et auquel ils vous ont dépeint. L'affaire presse, et le plus tôt que vous pourrez sortir d'ici sera le meilleur.

Don Juan, *à Charlotte et Mathurine* – Une affaire pressante m'oblige de partir d'ici ; mais je vous prie de vous ressouvenir de la parole que je vous ai donnée, et de croire que vous aurez de mes nouvelles avant qu'il soit demain au soir. *(Charlotte et Mathurine s'éloignent.)* Comme la partie n'est pas égale, il faut user de stratagème, et éluder adroitement le malheur qui me cherche. Je veux que Sganarelle se revête de mes habits, et moi...

Sganarelle – Monsieur, vous vous moquez. M'exposer à être tué sous vos habits, et...

Don Juan – Allons vite ! c'est trop d'honneur que je vous fais, et bien heureux est le valet qui peut avoir la gloire de mourir pour son maître.

Sganarelle – Je vous remercie d'un tel honneur. Ô Ciel, puisqu'il s'agit de mort, fais-moi la grâce de n'être point pris pour un autre !

Acte III

Scène 1

DON JUAN, *en habit de campagne*[1],
SGANARELLE, *en médecin*

SGANARELLE – Ma foi, Monsieur, avouez que j'ai eu raison, et
que nous voilà l'un et l'autre déguisés à merveille. Votre premier
dessein n'était point du tout à propos, et ceci nous cache bien
mieux que tout ce que vous vouliez faire.

5   DON JUAN – Il est vrai que te voilà bien, et je ne sais où tu as été
déterrer cet attirail ridicule.

SGANARELLE – Oui ? C'est l'habit d'un vieux médecin, qui a été
laissé en gage[2] au lieu où je l'ai pris, et il m'en a coûté de
l'argent pour l'avoir. Mais savez-vous, Monsieur, que cet habit

10   me met déjà en considération, que je suis salué des gens que je
rencontre, et que l'on me vient consulter ainsi qu'un habile[3]
homme ?

notes ......

| **1. habit de campagne :** tenue de voyage. | **2. en gage :** en guise de paiement. | **3. habile :** savant. |

DON JUAN – Comment donc ?

SGANARELLE – Cinq ou six paysans et paysannes, en me voyant
15   passer, me sont venus demander mon avis sur différentes
maladies.

DON JUAN – Tu leur as répondu que tu n'y entendais rien ?

SGANARELLE – Moi ? Point du tout. J'ai voulu soutenir l'honneur
de mon habit : j'ai raisonné sur le mal, et leur ai fait des ordon-
20   nances à chacun.

DON JUAN – Et quels remèdes encore leur as-tu ordonnés ?

SGANARELLE – Ma foi ! Monsieur, j'en ai pris par où j'en ai pu
attraper ; j'ai fait mes ordonnances à l'aventure, et ce serait une
chose plaisante si les malades guérissaient, et qu'on m'en vînt
25   remercier.

DON JUAN – Et pourquoi non ? Par quelle raison n'aurais-tu pas
les mêmes privilèges qu'ont tous les autres médecins ? Ils n'ont
pas plus de part que toi aux guérisons des malades, et tout leur
art est pure grimace[1]. Ils ne font rien que recevoir la gloire des
30   heureux succès[2], et tu peux profiter comme eux du bonheur du
malade, et voir attribuer à tes remèdes tout ce qui peut venir des
faveurs du hasard et des forces de la nature.

SGANARELLE – Comment, Monsieur, vous êtes aussi impie en
médecine ?

35   DON JUAN – C'est une des grandes erreurs qui soit parmi les
hommes.

SGANARELLE – Quoi ? vous ne croyez pas au séné[3], ni à la casse[4],
ni au vin émétique[5] ?

---

notes

1. **grimace** : mise en scène.
2. **heureux succès** : bons résultats.

3. **séné** : graine à effet laxatif.

4. **casse** : gousse à effet laxatif.
5. **émétique** : vomitif.

DON JUAN – Et pourquoi veux-tu que j'y croie ?

40 SGANARELLE – Vous avez l'âme bien mécréante. Cependant vous voyez depuis un temps que le vin émétique fait bruire ses fuseaux[1]. Ses miracles ont converti les plus incrédules esprits, et il n'y a pas trois semaines que j'en ai vu, moi qui vous parle, un effet merveilleux.

45 DON JUAN – Et quel ?

SGANARELLE – Il y avait un homme qui, depuis six jours, était à l'agonie ; on ne savait plus que lui ordonner, et tous les remèdes ne faisaient rien ; on s'avisa à la fin de lui donner de l'émétique.

DON JUAN – Il réchappa, n'est-ce pas ?

50 SGANARELLE – Non, il mourut.

DON JUAN – L'effet est admirable.

SGANARELLE – Comment ? il y avait six jours entiers qu'il ne pouvait mourir, et cela le fit mourir tout d'un coup. Voulez-vous rien de plus efficace ?

55 DON JUAN – Tu as raison.

SGANARELLE – Mais laissons là la médecine, où vous ne croyez point, et parlons des autres choses ; car cet habit me donne de l'esprit, et je me sens en humeur de disputer contre vous[2]. Vous savez bien que vous me permettez les disputes, et que vous 60 ne me défendez que les remontrances.

DON JUAN – Eh bien ?

SGANARELLE – Je veux savoir un peu vos pensées à fond. Est-il possible que vous ne croyiez point du tout au Ciel ?

DON JUAN – Laissons cela.

notes ....

1. fait bruire ses fuseaux : fait grand bruit. Ce remède était alors très controversé | dans le milieu médical et défendu par Mauvillain, le médecin de Molière. | **2. disputer contre vous :** discuter avec vous.

65 SGANARELLE – C'est-à-dire que non. Et à l'Enfer ?

DON JUAN – Eh !

SGANARELLE – Tout de même[1]. Et au Diable, s'il vous plaît ?

DON JUAN – Oui, oui.

SGANARELLE – Aussi peu. Ne croyez-vous point l'autre vie ?

70 DON JUAN – Ah ! ah ! ah !

SGANARELLE – Voilà un homme que j'aurai bien de la peine à convertir. Et dites-moi un peu, [le Moine bourru[2], qu'en croyez-vous ? eh !

DON JUAN – La peste soit du fat[3] !

75 SGANARELLE – Et voilà ce que je ne puis souffrir ; car il n'y a rien de plus vrai que le Moine bourru, et je me ferais pendre pour celui-là. Mais] encore faut-il croire quelque chose [dans le monde]. Qu'est-ce donc que vous croyez ?

DON JUAN – Ce que je crois ?

80 SGANARELLE – Oui.

DON JUAN – Je crois que deux et deux sont quatre, Sganarelle, et que quatre et quatre sont huit[4].

SGANARELLE – La belle croyance [et les beaux articles de foi] que voilà ! Votre religion, à ce que je vois, est donc l'arithmétique ?

85 Il faut avouer qu'il se met d'étranges folies dans la tête des hommes, et que, pour avoir bien étudié, on en est bien moins sage le plus souvent. Pour moi, Monsieur, je n'ai point étudié comme vous, Dieu merci, et personne ne saurait se vanter de m'avoir jamais rien appris ; mais, avec mon petit sens[5], mon petit

passage analysé

notes

1. tout de même : pas plus.
2. le Moine bourru : fantôme qui apparaissait dans la période précédant Noël et persécutait ceux qu'il rencontrait.
3. la peste soit du fat : que la peste emporte ce prétentieux.
4. je crois que [...] huit : Tallemant des Réaux rapporte qu'une heure
avant sa mort le prince de Nassau fit cette réponse à un théologien protestant.
5. sens : bon sens.

90 jugement, je vois les choses mieux que tous les livres, et je comprends fort bien que ce monde que nous voyons n'est pas un champignon qui soit venu tout seul en une nuit. Je voudrais bien vous demander qui a fait ces arbres-là, ces rochers, cette terre, et ce ciel que voilà là-haut, et si tout cela s'est bâti de lui-même. Vous

95 voilà vous, par exemple, vous êtes là : est-ce que vous vous êtes fait tout seul et n'a-t-il pas fallu que votre père ait engrossé votre mère pour vous faire ? Pouvez-vous voir toutes les inventions dont la machine[1] de l'homme est composée sans admirer de quelle façon cela est agencé l'un dans l'autre ? ces nerfs, ces os, ces veines, ces

100 artères, ces..., ce poumon, ce cœur, ce foie, et tous ces autres ingrédients qui sont là et qui... Oh ! dame, interrompez-moi donc, si vous voulez. Je ne saurais disputer, si l'on ne m'interrompt. Vous vous taisez exprès, et me laissez parler par belle malice.

DON JUAN – J'attends que ton raisonnement soit fini.

105 SGANARELLE – Mon raisonnement est qu'il y a quelque chose d'admirable dans l'homme, quoi que vous puissiez dire, que tous les savants ne sauraient expliquer. Cela n'est-il pas merveilleux que me voilà ici, et que j'aie quelque chose dans la tête qui pense cent choses différentes en un moment, et fait de mon

110 corps tout ce qu'elle veut ? Je veux frapper des mains, hausser le bras, lever les yeux au ciel, baisser la tête, remuer les pieds, aller à droit, à gauche, en avant, en arrière, tourner...

(Il se laisse tomber en tournant.)

DON JUAN – Bon ! voilà ton raisonnement qui a le nez cassé.

115 SGANARELLE – Morbleu[2] ! je suis bien sot de m'amuser[3] à raisonner avec vous. Croyez ce que vous voudrez : il m'importe bien que vous soyez damné !

passage analysé

notes ....

1. machine : organisme.
2. Morbleu : déformation argotique de « par la mort de Dieu ».

3. m'amuser : me laisser aller à.

89

DON JUAN – Mais, tout en raisonnant, je crois que nous sommes égarés. Appelle un peu cet homme que voilà là-bas, pour lui demander le chemin.

120

SGANARELLE – Holà, ho, l'homme ! ho, mon compère ! ho, l'ami ! un petit mot, s'il vous plaît.

Un grand manipulateur

Lecture analytique de l'extrait p. 87, ligne 62 à p. 90, ligne 122

L'ouverture de cet acte surprend le spectateur : il n'y a plus de pour-suite. Sganarelle, qui devait revêtir les habits de Don Juan, est habillé en médecin. Le maître et le valet discutent tranquillement à la diffé-rence de la scène 2 de l'acte I où les quelques remontrances risquées par Sganarelle à propos de l'abandon d'Elvire avaient été vite inter-rompues par le projet d'enlèvement d'une nouvelle proie. Ici, le valet pérore sous l'œil amusé de son maître. Enhardi par la complaisance de ce dernier, mais choqué par son attitude sceptique, Sganarelle relance le sujet qui lui tient à cœur. Quelle philosophie peut être celle d'un homme aussi immoral ? Cette scène fournit par ailleurs leurs arguments les plus convaincants aux adversaires de Molière. Elle fit aussi couler beaucoup d'encre car nombreux furent ceux qui tentèrent d'élucider le sens de l'attitude très ambiguë de Don Juan.

Les fonctions de la parole au théâtre

Sur scène, on ne parle pas pour occuper le temps. Le langage peut y avoir toutes les fonctions répertoriées par Jakobson : référentielle quand on décrit l'environnement, expressive quand l'émetteur se dévoile, conative quand on cherche à impliquer le destinataire, poétique quand on utilise des procé-dés destinés à renforcer le sens du message, phatique quand on vérifie que le contact est établi, métalinguistique quand on élucide un point du code* utilisé.

* : Cf. Lexique.

Cependant, la dimension la plus importante du langage au théâtre est qu'il concrétise et exprime des rapports de force. Il y a toujours un enjeu* au discours. On parle pour obtenir une preuve, pour extorquer un aveu, un accord, pour interdire ou obtenir quelque chose. Prendre la parole, c'est prendre le pouvoir. Tous les personnages n'ont pas cette possibilité en part égale du fait de leurs rapports hiérarchiques. Qu'un valet prenne l'initiative de parler devant son maître est le signe d'un rapport de relative familiarité. Par ailleurs, dans un dialogue, il y a toujours un des interlocuteurs qui mène l'échange : l'un interroge, l'autre répond, l'un dirige le jeu, l'autre le subit. L'inversion des rôles révèle un retournement du rapport de force entre les personnages.

La parole révèle celui qui la prononce mais la révélation peut être suspendue ou truquée, le refus de répondre pouvant être aussi révélateur. La parole est souvent biaisée, mensongère ou manipulatrice. Au théâtre, le spectateur est obligé de prendre pour argent comptant ce qu'il entend jusqu'à ce qu'un autre échange puisse lui faire percevoir, par comparaison, l'existence d'un double langage, d'un mensonge ou d'une trahison.

.... **Une parole à fonctions multiples** ....

❶ Quelles sont les fonctions dominantes du langage utilisé dans ce passage ?
❷ Quelle est la fonction de cette discussion dans la progression dramatique* de la pièce ?

.... **L'organisation du dialogue** ....

❸ Étudiez l'organisation du dialogue : qui a l'initiative, comment s'enchaînent les répliques* ?
❹ Que révèle le déroulement de ce dialogue des rapports entre les deux personnages ? Sont-ils conformes à leur situation hiérarchique ?

* : Cf. Lexique.

······················· **La sincérité du discours** ·······················

❺ Don Juan donne-t-il l'impression de parler sincèrement ?
❻ Quels procédés utilise-t-il pour éviter de répondre à Sganarelle ?

Le libertinage idéologique au XVIIᵉ siècle

La première caractérisation de Don Juan que Sganarelle donne à Gusman est celle de son irréligion « *un diable, un Turc, un hérétique, qui ne croit ni Ciel, ni enfer, ni loup-garou, qui passe cette vie en véritable bête brute, un pourceau d'Épicure* » (p. 27, l. 58 à 60). À chaque occasion, il le met en garde contre la punition divine et l'exhorte à revenir dans le droit chemin. Il interprète le naufrage comme un signe inquiétant et le sauvetage comme une grâce inespérée que l'incorrigible ignore en séduisant aussitôt Mathurine puis Charlotte. Don Juan, de son côté, prétend dès le premier acte (scène 3) abandonner Elvire par soudain scrupule religieux, invoque le Ciel pour convaincre Charlotte de sa sincérité. Qu'en est-il, en fait, de la position exprimée par Don Juan ?

La question est effectivement brûlante au XVIIᵉ siècle. Protestants, catholiques, jansénistes et jésuites rivalisent de zèle et s'indignent devant un courant de pensée matérialiste contestataire animé par le philosophe Gassendi. Autant dire que dans ce contexte, aucun propos concernant la religion n'est neutre ou anodin.

Molière, en soulevant la question de l'hypocrisie religieuse dans *Tartuffe*, est devenu la cible de la cabale des dévots. Et pourtant il revient à la charge. Dans quelle intention ? Celle de se défendre de l'accusation d'impiété ? Le monologue de Sganarelle est ambivalent. Il reprend des arguments classiquement utilisés pour justifier la croyance, mais la personnalité de l'orateur et sa façon de présenter les choses, sa gestuelle ruinent l'effet de son propos. En face, les deux seules réponses réelles de Don Juan produisent un effet frappant et décentrent complètement le débat.

.... **Une question brûlante** ....

❼ Comment Sganarelle réintroduit-il la question des convictions de Don Juan et pour quelles raisons ?

.... **Articles de foi** ....

❽ Relevez dans la tirade* de Sganarelle (l. 83 à 112) les fondements de sa croyance. À quoi croit-il ? Pour quelles raisons ?
❾ Que faut-il penser de cette argumentation ?
❿ Analysez la nature des répliques de Don Juan. S'agit-il d'une argumentation ?

Le maintien de la tonalité comique

Le sujet est très grave et très dangereux étant donné la puissance du camp des dévots soutenus au sommet de l'État par la reine et le prince de Conti. Aborder un sujet grave en plaisantant est un bon moyen de dire tout en se protégeant. Il suffit de déclarer en cas d'attaque que ces propos ne sont que des plaisanteries. La comédie peut donc être aussi une arme stratégique.

Mais Molière va dédramatiser cette scène également pour des raisons techniques : une bonne comédie doit faire rire le public. Les règles en vigueur à l'époque imposent une unité de ton tout au long d'une œuvre dramatique. L'auteur ne l'oublie pas et utilise ici divers procédés comiques. Il exploite les aspects bouffons du personnage de Sganarelle, proche parent des *Zanni* de la *commedia dell'arte** : le valet y avait une personnalité stéréotypée exprimée par une gestuelle outrée. Il exploite en outre le rapport inhabituel et, par certains côtés, amusant des deux personnages. Don Juan s'amuse de Sganarelle qu'il anime comme une marionnette pour son plaisir et celui du spectateur. Le valet est inconscient de la manipulation et le spectateur s'amuse de l'habileté et de l'ironie* du maître. Les aristocrates pouvaient voir là se concrétiser la supériorité de leur caste. Cependant, les adversaires de Molière se sont appuyés sur cette scène pour l'accuser d'impiété. Sa tonalité* n'est donc pas purement comique.

* : *Cf.* Lexique.

.... **Le masque de la comédie** ....

⓫ Quels éléments brouillent les pistes et empêchent de savoir quelles peuvent être les idées de Molière ?

.... **Les procédés comiques** ....

⓬ Quels sont les différents types de procédés comiques employés dans cette scène ?

⓭ Comment Don Juan manipule-t-il Sganarelle ? Relevez des traces de l'ironie de Don Juan.

⓮ Comment se manifeste sa supériorité intellectuelle ?

Prouver l'existence de Dieu

Lectures croisées et travaux d'écriture

Le Moyen Âge ne peut penser hors des cadres de la foi chrétienne. La Renaissance, en rétablissant le contact avec l'Antiquité, redécouvre des systèmes de pensée très différents dont certains sont matérialistes. Les troubles engendrés par les conflits religieux, la gravité de leurs enjeux politiques, ébranlent les convictions anciennes. Parallèlement, la démarche du philosophe français, René Descartes (1596-1650), a également une dimension subversive. Il ne s'en remet plus à Dieu pour discerner le vrai. Il cherche à déterminer quelle démarche de raisonnement donnerait la garantie à l'esprit humain de penser juste. Blaise Pascal (1623-1662), lui, après une jeunesse mondaine où s'expriment des intérêts surtout scientifiques, se convainc que sa mission essentielle est de consolider la foi de ses contemporains. Il entreprend un ouvrage que la mort ne lui permettra pas d'achever et qui sera publié en fragments sous le titre *Pensées*.

Blaise Pascal, *Pensées*

Pascal essaie de convaincre les récalcitrants que ne convainquent ni les raisonnements ni les appels à l'intuition. Il prend appui sur une pratique sociale très développée à son époque : les jeux de hasard. Le croyant fait en quelque sorte le pari que Dieu existe et ce pari est avantageux.

Dieu est ou il n'est pas ; mais de quel côté pencherons-nous ? La raison n'y peut rien déterminer. Il y a un chaos infini qui nous sépare. Il se joue un jeu à l'extrémité de cette distance infinie, où il arrivera croix[1] ou pile. Que gagerez-vous ? Par raison vous ne pouvez faire ni l'un ni l'autre ; par raison vous ne pouvez défaire nul des deux.

Ne blâmez donc pas de fausseté ceux qui ont pris un choix, car vous n'en savez rien. Non, mais je les blâmerai d'avoir fait non ce choix, mais un choix, car, encore que celui qui prend croix et l'autre soient en pareille faute, ils sont tous deux en faute ; le juste est de ne point parier.

Oui, mais il faut parier. Cela n'est pas volontaire, vous êtes embarqué. Lequel prendrez-vous donc ? Voyons : puisqu'il faut choisir, voyons ce qui vous intéresse le moins. Vous avez deux choses à perdre : le vrai et le bien, et deux choses à engager : votre raison et votre volonté, votre connaissance et votre béatitude, et votre nature deux choses à fuir : l'erreur et la misère. Votre raison n'est pas plus blessée puisqu'il faut nécessairement choisir, en choisissant l'un que l'autre. Voilà un point vidé[2]. Mais votre béatitude ? Pesons le gain et la perte en prenant croix que Dieu est. Estimons ces deux cas : si vous gagnez, vous gagnez tout, et si vous perdez, vous ne perdez rien : gagez donc qu'il est sans hésiter. Cela est admirable. Oui il faut gager, mais je gage peut-être trop. Voyons, puisqu'il y a pareil hasard de gain et de perte, si vous n'aviez qu'à gagner deux vies pour une vous pourriez encore gager, mais s'il y en avait trois à gagner ?

Blaise Pascal, *Pensées*, 1670.

1. croix : face. **2. vidé :** résolu.

Jostein Gaarder, *Le Monde de Sophie*

Gaarder a écrit un roman sur l'histoire de la philosophie dans lequel un mystérieux personnage prend contact avec la jeune Sophie par le biais d'énigmatiques questions envoyées anonymement. Elle découvre de façon ludique l'évolution de la philosophie occidentale. Le chapitre 18 présente Descartes et mentionne en exergue « … il voulait déblayer le chantier… ».

– Descartes se demande ensuite s'il connaît pas autre chose avec la même certitude intuitive que le fait d'être un sujet pensant. Il a aussi la nette conscience qu'il existe un être parfait. Cette idée s'est toujours imposée à lui, ce qui lui permet d'en déduire qu'elle ne peut pas venir de lui-même. Cette idée de perfection ne peut venir que d'un être parfait, en d'autres termes, de Dieu. Que Dieu existe est pour Descartes une vérité aussi immédiate que celle qui établit un sujet pensant.

– Je trouve qu'il se met à tirer des conclusions un peu hâtives. Il était plus prudent au début.

– Oui, beaucoup ont relevé cela comme étant le point faible de Descartes. Mais tu as employé le terme de « conclusion ». En fait, il n'y a aucune preuve réelle. Descartes pense simplement que nous avons une idée d'un être parfait et que cet être doit exister puisque nous l'imaginons. En effet, cet être ne serait pas parfait s'il n'existait pas. Nous ne saurions en outre imaginer un tel être s'il n'existait pas, puisque nous sommes imparfaits et incapables de concevoir l'idée de la perfection. Selon Descartes, l'idée de Dieu est innée, elle est inscrite dans notre nature « comme un tableau porte la signature de l'artiste ».

– Mais je peux m'amuser à imaginer à quoi ressemblerait un « crocophant » sans pour cela qu'il existe réellement.

– Descartes aurait répondu que son existence n'est pas assurée dans le concept « crocophant ». Alors que dans le concept « être parfait », il y a l'assurance qu'un tel être existe. Cela est pour Descartes aussi vrai que dans l'idée du cercle le fait que tous les points de la circonférence sont à équidistance du centre. Tu ne peux pas parler d'un cercle si cette condition n'est pas remplie. De la même façon, tu ne peux pas parler de l'être parfait s'il lui manque la plus importante de toutes les qualités, à savoir l'existence.

Jostein Gaarder, *Le Monde de Sophie*, Éditions du Seuil, 1995.

Corpus

Texte A : Extrait de la scène 1 de l'acte III de *Dom Juan* de Molière (p. 87, ligne 62, à p. 90, ligne 122).
Texte B : Extrait des *Pensées* de Blaise Pascal (p. 96 et p. 97).
Texte C : Extrait du chapitre 18 du *Monde de Sophie* de Jostein Gaarder (p. 97 et p. 98).

.... **Examen des textes** ....

❶ Étudiez l'énonciation dans le texte B.
❷ En quoi consiste l'originalité de l'argument de Pascal ? (texte B)
❸ Dans le texte C, quels procédés Alberto, l'initiateur, utilise-t-il pour faciliter la compréhension du raisonnement de Descartes ?
❹ Dans le texte C, la certitude de l'existence de Dieu est-elle pour Descartes le résultat d'un raisonnement ?

Travaux d'écriture

Question préliminaire
De quel point de vue ces trois textes abordent-ils la question de l'existence de Dieu ?

Commentaire
Vous commenterez la tirade* de Sganarelle (texte A de la l. 83 à la l. 112).

Dissertation
Sganarelle, Pascal et Descartes (qui est présenté par le pédagogue qui initie la jeune Sophie à la philosophie) utilisent trois techniques argumentatives différentes pour prouver l'existence de Dieu. Quel procédé vous semble le plus convaincant et pourquoi ?

Écriture d'invention
Écrivez la lettre d'un ami de Pascal qui vient de voir *Dom Juan* et lui fait part de ses impressions.

* : *Cf.* Lexique.

Scène 2

DON JUAN, SGANARELLE,
UN PAUVRE

SGANARELLE – Enseignez-nous un peu le chemin qui mène à la ville.

125 LE PAUVRE – Vous n'avez qu'à suivre cette route, Messieurs, et détourner à main droite quand vous serez au bout de la forêt. Mais je vous donne avis que vous devez vous tenir sur vos gardes, et que, depuis quelque temps, il y a des voleurs ici autour.

DON JUAN – Je te suis bien obligé, mon ami, et je te rends grâce
130 de tout mon cœur.

LE PAUVRE – Si vous vouliez, Monsieur, me secourir de quelque aumône ?

DON JUAN – Ah ! ah ! ton avis est intéressé, à ce que je vois.

LE PAUVRE – Je suis un pauvre homme, Monsieur, retiré tout seul
135 dans ce bois depuis dix ans, et je ne manquerai pas de prier le Ciel qu'il vous donne toute sorte de biens.

DON JUAN – Eh ! prie-le qu'il te donne un habit, sans te mettre en peine des affaires des autres.

SGANARELLE –Vous ne connaissez pas Monsieur, bon homme : il
140 ne croit qu'en deux et deux sont quatre et en quatre et quatre sont huit.

DON JUAN – Quelle est ton occupation parmi ces arbres ?

LE PAUVRE – De prier le Ciel tout le jour pour la prospérité des gens de bien[1] qui me donnent quelque chose.

note

1. gens de bien : personnes
généreuses.

Acte III, scène 2

145   DON JUAN – Il ne se peut donc pas que tu ne sois bien à ton aise ?

LE PAUVRE – Hélas ! Monsieur, je suis dans la plus grande néces-sité[1] du monde.

DON JUAN – Tu te moques : un homme qui prie le Ciel tout le jour ne peut pas manquer d'être bien dans ses affaires.

150   LE PAUVRE – Je vous assure, Monsieur, que le plus souvent je n'ai pas un morceau de pain à mettre sous les dents.

DON JUAN – [Voilà qui est étrange, et tu es bien mal reconnu de tes soins[2]. Ah ! ah ! je m'en vais te donner un louis d'or tout à l'heure, pourvu que tu veuilles jurer[3].

155   LE PAUVRE – Ah ! Monsieur, voudriez-vous que je commisse un tel péché ?

DON JUAN – Tu n'as qu'à voir si tu veux gagner un louis d'or ou non : en voici un que je te donne, si tu jures. Tiens : il faut jurer.

LE PAUVRE – Monsieur...

160   DON JUAN – À moins de cela tu ne l'auras pas.

SGANARELLE – Va, va, jure un peu, il n'y a pas de mal.

DON JUAN – Prends, le voilà ; prends, te dis-je ; mais jure donc.

LE PAUVRE – Non, Monsieur, j'aime mieux mourir de faim.

DON JUAN – Va, va], je te le donne pour l'amour de l'humanité.
165   Mais que vois-je là ? Un homme attaqué par trois autres ? La partie est trop inégale, et je ne dois pas souffrir[4] cette lâcheté.

notes ....

1. nécessité : misère.
2. reconnu de tes soins : récompensé de tes services.

3. jurer : insulter le nom de Dieu.
4. souffrir : supporter.

102

Scène 3

DON JUAN, DON CARLOS,
SGANARELLE

SGANARELLE − Mon maître est un vrai enragé d'aller se présenter à un péril qui ne le cherche pas ; mais, ma foi ! le secours a servi, et les deux ont fait fuir les trois.

170 DON CARLOS, *l'épée à la main* − On voit, par la fuite de ces voleurs, de quel secours est votre bras. Souffrez, Monsieur, que je vous rende grâce d'une action si généreuse, et que...

DON JUAN, *revenant l'épée à la main* − Je n'ai rien fait, Monsieur, que vous n'eussiez fait en ma place. Notre propre honneur est 175 intéressé[1] dans de pareilles aventures[2], et l'action de ces coquins était si lâche, que c'eût été y prendre part que de ne s'y pas opposer. Mais par quelle rencontre[3] vous êtes-vous trouvé entre leurs mains ?

DON CARLOS − Je m'étais par hasard égaré d'un frère et de tous 180 ceux de notre suite ; et comme je cherchais à les rejoindre, j'ai fait rencontre de ces voleurs, qui d'abord ont tué mon cheval, et qui, sans votre valeur[4], en auraient fait autant de moi.

DON JUAN − Votre dessein est-il d'aller du côté de la ville ?

DON CARLOS − Oui, mais sans y vouloir entrer ; et nous nous 185 voyons obligés, mon frère et moi, à tenir la campagne[5] pour une de ces fâcheuses affaires qui réduisent les gentilshommes à se sacrifier, eux et leur famille, à la sévérité[6] de leur honneur, puisque enfin le plus doux succès en est toujours funeste, et que, si l'on ne quitte pas la vie, on est contraint de quitter le

notes

1. **intéressé :** concerné.
2. **aventures :** situations.
3. **rencontre :** hasard.
4. **valeur :** courage.
5. **à tenir la campagne :** à rester mobilisés.
6. **à la sévérité :** aux exigences.

190 royaume, et c'est en quoi je trouve la condition d'un gentil-
     homme malheureuse, de ne pouvoir point s'assurer[1] sur toute la
     prudence et toute l'honnêteté de sa conduite, d'être asservi par
     les lois de l'honneur au dérèglement de la conduite d'autrui, et
     de voir sa vie, son repos et ses biens dépendre de la fantaisie du
195 premier téméraire qui s'avisera de lui faire une de ces injures
     pour qui[2] un honnête homme[3] doit périr.

DON JUAN – On a cet avantage qu'on fait courir le même risque
et passer mal aussi le temps à ceux qui prennent fantaisie de
nous venir faire une offense de gaieté de cœur. Mais ne serait-
200 ce point une indiscrétion que de vous demander quelle peut
être votre affaire ?

DON CARLOS – La chose en est aux termes[4] de n'en plus faire de
secret, et lorsque l'injure a une fois éclaté, notre honneur ne va
point à vouloir[5] cacher notre honte, mais à faire éclater notre
205 vengeance, et à publier[6] même le dessein que nous en avons.
Ainsi, Monsieur, je ne feindrai point de vous dire[7] que l'offense que nous cherchons à venger est une sœur séduite et enlevée
d'un couvent, et que l'auteur de cette offense est un Don Juan
Tenorio, fils de Don Louis Tenorio. Nous le cherchons depuis
210 quelques jours, et nous l'avons suivi ce matin, sur le rapport
d'un valet qui nous a dit qu'il sortait à cheval, accompagné de
quatre ou cinq, et qu'il avait pris le long de cette côte ; mais tous
nos soins ont été inutiles, et nous n'avons pu découvrir ce qu'il
est devenu.

215 DON JUAN – Le connaissez-vous, Monsieur, ce Don Juan dont
vous parlez ?

notes ....

1. **s'assurer** : se reposer.
2. **pour qui** : pour laquelle.
3. **honnête homme** : homme d'honneur.
4. **aux termes** : au point.
5. **ne va point à vouloir** : ne cherche pas.
6. **publier** : faire savoir.
7. **je ne feindrai point de vous dire** : je ne chercherai pas à vous cacher.

DON CARLOS – Non, quant à moi. Je ne l'ai jamais vu, et je l'ai seulement ouï dépeindre à mon frère[1] ; mais la renommée n'en dit pas force[2] bien, et c'est un homme dont la vie...

220 DON JUAN – Arrêtez, Monsieur, s'il vous plaît. Il est un peu de mes amis, et ce serait à moi une espèce de lâcheté, que d'en ouïr dire du mal.

DON CARLOS – Pour l'amour de vous, Monsieur, je n'en dirai rien du tout, et c'est bien la moindre chose que je vous doive,
225 après m'avoir sauvé la vie, que de me taire devant vous d'une personne[3] que vous connaissez, lorsque je ne puis en parler sans en dire du mal ; mais, quelque ami que vous lui soyez, j'ose espérer que vous n'approuverez pas son action, et ne trouverez pas étrange que nous cherchions d'en prendre la vengeance.

230 DON JUAN – Au contraire, je vous y veux servir, et vous épargner des soins inutiles. Je suis ami de Don Juan, je ne puis pas m'en empêcher ; mais il n'est pas raisonnable qu'il offense impunément des gentilshommes, et je m'engage à vous faire faire raison par lui[4].

235 DON CARLOS – Et quelle raison[5] peut-on faire à ces sortes d'injures ?

DON JUAN – Toutes celles que votre honneur peut souhaiter ; et sans vous donner la peine de chercher Don Juan davantage, je m'oblige à le faire trouver[6] au lieu que vous voudrez, et quand
240 il vous plaira.

DON CARLOS – Cet espoir est bien doux, Monsieur, à des cœurs offensés ; mais, après ce que je vous dois, ce me serait une trop sensible douleur que vous fussiez de la partie.

notes

1. **ouï dépeindre à mon frère** : entendu décrire par mon frère.
2. **force** : grand.
3. **d'une personne** : à propos d'une personne.
4. **à vous faire faire raison par lui** : à ce qu'il répare l'injure qu'il vous a faite.
5. **raison** : réparation.
6. **je m'oblige à le faire trouver** : je m'engage à ce qu'il se rende.

DON JUAN – Je suis si attaché à Don Juan qu'il ne saurait se battre
245 que je ne me batte aussi ; mais enfin j'en réponds comme de
moi-même, et vous n'avez qu'à dire quand vous voulez qu'il
paraisse et vous donne satisfaction.

DON CARLOS – Que ma destinée est cruelle ! Faut-il que je vous
doive la vie, et que Don Juan soit de vos amis ?

Scène 4

DON ALONSE ET TROIS SUIVANTS,
DON CARLOS, DON JUAN,
SGANARELLE

250 DON ALONSE – Faites boire là mes chevaux, et qu'on les amène
après nous[1] ; je veux un peu marcher à pied. Ô Ciel ! que vois-
je ici ? Quoi ? mon frère, vous voilà avec notre ennemi mortel ?

DON CARLOS – Notre ennemi mortel ?

DON JUAN, *se reculant trois pas et mettant fièrement la main sur la garde*
255 *de son épée* – Oui, je suis Don Juan moi-même, et l'avantage du
nombre ne m'obligera pas à vouloir déguiser mon nom.

DON ALONSE – Ah ! traître, il faut que tu périsses, et...

DON CARLOS – Ah ! mon frère, arrêtez ! je lui suis redevable de
la vie ; et sans le secours de son bras, j'aurais été tué par des
260 voleurs que j'ai trouvés.

DON ALONSE – Et voulez-vous que cette considération empêche
notre vengeance ? Tous les services que nous rend une main
ennemie ne sont d'aucun mérite pour engager notre âme[2] ; et

notes

1. qu'on les amène
nous : qu'on les mène
derrière nous.

2. ne sont d'aucun mérite
pour engager notre âme :
ne nous lient nullement.

s'il faut mesurer l'obligation à l'injure, votre reconnaissance, mon frère, est ici ridicule ; et comme l'honneur est infiniment plus précieux que la vie, c'est ne devoir rien proprement que d'être redevable de la vie à qui nous a ôté l'honneur.

DON CARLOS – Je sais la différence, mon frère, qu'un gentilhomme doit toujours mettre entre l'un et l'autre, et la reconnaissance de l'obligation[1] n'efface point en moi le ressentiment de l'injure[2] ; mais souffrez que je lui rende ici ce qu'il m'a prêté, que je m'acquitte sur-le-champ de la vie que je lui dois, par un délai de notre vengeance, et lui laisse la liberté de jouir, durant quelques jours, du fruit de son bienfait.

DON ALONSE – Non, non, c'est hasarder notre vengeance[3] que de la reculer, et l'occasion de la prendre peut ne plus revenir. Le Ciel nous l'offre ici, c'est à nous d'en profiter. Lorsque l'honneur est blessé mortellement, on doit ne point songer à garder aucunes mesures ; et si vous répugnez à prêter votre bras à cette action, vous n'avez qu'à vous retirer et laisser à ma main la gloire d'un tel sacrifice.

DON CARLOS – De grâce, mon frère...

DON ALONSE – Tous ces discours sont superflus : il faut qu'il meure.

DON CARLOS – Arrêtez-vous, dis-je, mon frère. Je ne souffrirai point du tout qu'on attaque ses jours, et je jure le Ciel que je le défendrai ici contre qui que ce soit, et je saurai lui faire un rempart de cette même vie qu'il a sauvée ; et pour adresser vos coups[4], il faudra que vous me perciez.

notes ....

1. la reconnaissance de l'obligation : la conscience de la dette.

2. le ressentiment de l'injure : la rancune créée par l'injure.

3. hasarder notre vengeance : rendre notre vengeance incertaine.

4. adresser vos coups : le toucher.

290 DON ALONSE – Quoi ! vous prenez le parti de notre ennemi contre moi, et loin d'être saisi à son aspect des mêmes transports[1] que je sens, vous faites voir pour lui des sentiments pleins de douceur ?

DON CARLOS – Mon frère, montrons de la modération dans une
295 action légitime, et ne vengeons point notre honneur avec cet emportement que vous témoignez. Ayons du cœur dont nous soyons les maîtres, une valeur qui n'ait rien de farouche[2], et qui se porte aux choses par une pure délibération de notre raison, et non point par le mouvement d'une aveugle colère. Je ne veux
300 point, mon frère, demeurer redevable à mon ennemi, et je lui ai une obligation dont il faut que je m'acquitte avant toute chose. Notre vengeance, pour être différée, n'en sera pas moins éclatante : au contraire, elle en tirera de l'avantage ; et cette occasion de l'avoir pu prendre la fera paraître plus juste aux
305 yeux de tout le monde.

DON ALONSE – Ô l'étrange faiblesse, et l'aveuglement effroyable d'hasarder ainsi les intérêts de son honneur pour la ridicule pensée d'une obligation chimérique !

DON CARLOS – Non, mon frère, ne vous mettez pas en peine. Si
310 je fais une faute, je saurai bien la réparer, et je me charge de tout le soin de notre honneur ; je sais à quoi il nous oblige, et cette suspension d'un jour, que ma reconnaissance lui demande, ne fera qu'augmenter l'ardeur que j'ai de le satisfaire. Don Juan, vous voyez que j'ai soin de vous rendre le bien que j'ai reçu de
315 vous, et vous devez par là juger du reste, croire que je m'acquitte avec même chaleur de ce que je dois, et que je ne serai pas moins exact à vous payer l'injure que le bienfait. Je ne veux

notes ┄┄

1. transports : sentiments violents, colère.

2. une valeur qui n'ait rien de farouche : un courage qui n'ait rien de barbare.

point vous obliger ici à expliquer vos sentiments, et je vous donne la liberté de penser à loisir aux résolutions que vous avez
320 à prendre. Vous connaissez assez la grandeur de l'offense que vous nous avez faite, et je vous fais juge vous-même des réparations qu'elle demande. Il est des moyens doux pour nous satisfaire ; il en est de violents et de sanglants ; mais enfin, quelque choix que vous fassiez, vous m'avez donné parole de me faire
325 faire raison par Don Juan**1** : songez à me la faire**2**, je vous prie, et vous ressouvenez que, hors d'ici, je ne dois plus qu'à mon honneur.

DON JUAN – Je n'ai rien exigé de vous, et vous tiendrai ce que j'ai promis.

330 DON CARLOS – Allons, mon frère : un moment de douceur ne fait aucune injure à la sévérité de notre devoir.

Scène 5

DON JUAN, SGANARELLE

DON JUAN – Holà, hé, Sganarelle !

SGANARELLE – Plaît-il ?

DON JUAN – Comment ? coquin, tu fuis quand on m'attaque ?

335 SGANARELLE – Pardonnez-moi, Monsieur, je viens seulement d'ici près. Je crois que cet habit est purgatif, et que c'est prendre médecine**3** que de le porter.

DON JUAN – Peste soit l'insolent ! Couvre au moins ta poltronnerie d'un voile plus honnête. Sais-tu bien qui est celui à qui j'ai
340 sauvé la vie ?

notes ....

1. de me faire faire raison par Don Juan : que Don Juan m'en répondrait.

2. à me la faire : à le faire, à vous en acquitter.

3. prendre médecine : prendre un médicament.

SGANARELLE – Moi ? Non.

DON JUAN – C'est un frère d'Elvire.

SGANARELLE – Un...

DON JUAN – Il est assez honnête[1] homme, il en a bien usé[2], et j'ai
345   regret d'avoir démêlé avec lui.

SGANARELLE – Il vous serait aisé de pacifier toutes choses.

DON JUAN – Oui ; mais ma passion est usée pour Done Elvire, et
l'engagement ne compatit point avec mon humeur[3]. J'aime
la liberté en amour, tu le sais, et je ne saurais me résoudre à
350   renfermer mon cœur entre quatre murailles. Je te l'ai dit vingt
fois, j'ai une pente naturelle à me laisser aller à tout ce qui
m'attire. Mon cœur est à toutes les belles, et c'est à elles à le
prendre tour à tour, et à le garder tant qu'elles le pourront. Mais
quel est le superbe édifice que je vois entre ces arbres ?

355 SGANARELLE – Vous ne le savez pas ?

DON JUAN – Non, vraiment.

SGANARELLE – Bon ! c'est le tombeau que le Commandeur[4]
faisait faire lorsque vous le tuâtes.

DON JUAN – Ah ! tu as raison. Je ne savais pas que c'était de ce
360   côté-ci qu'il était. Tout le monde m'a dit des merveilles de cet
ouvrage, aussi bien que de la statue du Commandeur, et j'ai
envie de l'aller voir.

SGANARELLE – Monsieur, n'allez point là.

DON JUAN – Pourquoi ?

365 SGANARELLE – Cela n'est pas civil[5], d'aller voir un homme que
vous avez tué.

notes

1. honnête : convenable.
2. il en a bien usé : il s'est bien conduit.
3. l'engagement ne compatit point avec mon humeur : le mariage ne convient pas à mon état d'esprit.
4. Commandeur : chevalier détenteur d'une commanderie dans un ordre religieux et militaire comme celui de Malte.
5. civil : bien élevé, poli.

DON JUAN – Au contraire, c'est une visite dont je lui veux faire civilité, et qu'il doit recevoir de bonne grâce, s'il est galant[1] homme. Allons, entrons dedans.

370 *(Le tombeau s'ouvre, où l'on voit un superbe mausolée et la statue du Commandeur.)*

SGANARELLE – Ah ! que cela est beau ! Les belles statues ! le beau marbre ! les beaux piliers ! Ah ! que cela est beau ! Qu'en dites-vous, Monsieur ?

375 DON JUAN – Qu'on ne peut voir aller plus loin l'ambition d'un homme mort ; et ce que je trouve admirable, c'est qu'un homme qui s'est passé[2], durant sa vie, d'une assez simple demeure, en veuille avoir une si magnifique pour quand il n'en a plus que faire.

380 SGANARELLE –Voici la statue du Commandeur.

DON JUAN – Parbleu ! le voilà bon[3], avec son habit d'empereur romain !

SGANARELLE – Ma foi, Monsieur, voilà qui est bien fait. Il semble qu'il est en vie et qu'il s'en va parler. Il jette des regards sur nous
385 qui me feraient peur, si j'étais tout seul, et je pense qu'il ne prend pas plaisir de nous voir.

DON JUAN – Il aurait tort, et ce serait mal recevoir l'honneur que je lui fais. Demande-lui s'il veut venir souper[4] avec moi.

SGANARELLE – C'est une chose dont il n'a pas besoin, je crois.

390 DON JUAN – Demande-lui, te dis-je.

SGANARELLE –Vous moquez-vous ? Ce serait être fou que d'aller parler à une statue.

notes ....

1. **galant** : de bonne éducation.
2. **passé** : contenté.

3. **bon** : beau.
4. **souper** : dîner.

DON JUAN – Fais ce que je te dis.

395 SGANARELLE – Quelle bizarrerie ! Seigneur Commandeur... je ris de ma sottise, mais c'est mon maître qui me la fait faire. Seigneur Commandeur, mon maître Don Juan vous demande si vous voulez lui faire l'honneur de venir souper avec lui. *(La statue baisse la tête.)* Ha !

DON JUAN – Qu'est-ce ? qu'as-tu ? Dis donc, veux-tu parler ?

400 SGANARELLE, *fait le même signe que lui a fait la statue et baisse la tête* – La statue...

DON JUAN – Eh bien, que veux-tu dire, traître ?

SGANARELLE – Je vous dis que la statue...

DON JUAN – Eh bien ! la statue ? Je t'assomme, si tu ne parles.

405 SGANARELLE – La statue m'a fait signe.

DON JUAN – La peste le coquin !

SGANARELLE – Elle m'a fait signe, vous dis-je : il n'est rien de plus vrai. Allez-vous-en lui parler vous-même, pour voir, peut-être...

DON JUAN – Viens, maraud, viens, je te veux bien faire tou-
410 cher au doigt ta poltronnerie. Prends garde. Le seigneur Commandeur voudrait-il venir souper avec moi ?

(La statue baisse encore la tête.)

SGANARELLE – Je ne voudrais pas en tenir dix pistoles[1]. Eh bien ! Monsieur ?

415 DON JUAN – Allons, sortons d'ici.

SGANARELLE – Voilà de mes esprits forts[2], qui ne veulent rien croire.

notes ....

1. **en tenir dix pistoles :** parier une grosse somme là-dessus.

2. **esprits forts :** personnes qui croient savoir mieux que les autres, qui n'adoptent pas les croyances communes.

Acte IV

Scène 1

DON JUAN – Quoi qu'il en soit, laissons cela : c'est une bagatel-
le, et nous pouvons avoir été trompés par un faux jour, ou surpris de quelque vapeur[1] qui nous ait troublé la vue.

SGANARELLE – Eh ! Monsieur, ne cherchez point à démentir ce
que nous avons vu des yeux que voilà. Il n'est rien de plus
véritable que ce signe de tête ; et je ne doute point que le
Ciel, scandalisé de votre vie, n'ait produit ce miracle pour vous
convaincre et pour vous retirer de...

DON JUAN – Écoute. Si tu m'importunes davantage de tes sottes
moralités[2], si tu me dis encore le moindre mot là-dessus, je vais
appeler quelqu'un, demander un nerf de bœuf, te faire tenir par
trois ou quatre, et te rouer de mille coups. M'entends-tu bien ?

notes

| 1. **vapeur :** brume, brouillard. | 2. **moralités :** leçons de morale. |

SGANARELLE – Fort bien, Monsieur, le mieux du monde. Vous vous expliquez clairement ; c'est ce qu'il y a de bon en vous, que vous n'allez point chercher de détours : vous dites les choses avec une netteté admirable.

DON JUAN – Allons, qu'on me fasse souper le plus tôt que l'on pourra. Une chaise, petit garçon.

Scène 2

DON JUAN, LA VIOLETTE, SGANARELLE

LA VIOLETTE – Monsieur, voilà votre marchand, monsieur Dimanche, qui demande à vous parler.

SGANARELLE – Bon ! voilà ce qu'il nous faut, qu'un compliment de créancier ! De quoi s'avise-t-il de nous venir demander de l'argent, et que ne lui disais-tu que Monsieur n'y est pas ?

LA VIOLETTE – Il y a trois quarts d'heure que je lui dis ; mais il ne veut pas le croire, et s'est assis là-dedans pour attendre.

SGANARELLE – Qu'il attende tant qu'il voudra.

DON JUAN – Non, au contraire, faites-le entrer. C'est une fort mauvaise politique que de se faire celer aux[1] créanciers. Il est bon de les payer de quelque chose, et j'ai le secret de les renvoyer satisfaits sans leur donner un double[2].

notes ....

1. **se faire celer aux** : fuir les.
2. **double** : pièce de monnaie de peu de valeur.

Acte IV, scène 3

Scène 3

DON JUAN, M. DIMANCHE,
SGANARELLE, SUITE

DON JUAN, *faisant de grandes civilités* – Ah ! monsieur Dimanche, approchez. Que je suis ravi de vous voir, et que je veux de mal à mes gens de ne vous pas faire entrer d'abord[1] ! J'avais donné ordre qu'on ne me fît parler personne[2], mais cet ordre n'est pas
35 pour vous, et vous êtes en droit de ne trouver jamais de porte fermée chez moi.

M. DIMANCHE – Monsieur, je vous suis fort obligé.

DON JUAN, *parlant à ses laquais* – Parbleu ! coquins, je vous apprendrai à laisser monsieur Dimanche dans une antichambre,
40 et je vous ferai connaître les gens[3].

M. DIMANCHE – Monsieur, cela n'est rien.

DON JUAN – Comment ! vous dire que je n'y suis pas, à monsieur Dimanche, au meilleur de mes amis !

M. DIMANCHE – Monsieur, je suis votre serviteur. J'étais venu...

45 DON JUAN – Allons, vite, un siège pour monsieur Dimanche.

M. DIMANCHE – Monsieur, je suis bien comme cela.

DON JUAN – Point, point, je veux que vous soyez assis contre moi[4].

M. DIMANCHE – Cela n'est point nécessaire.

50 DON JUAN – Ôtez ce pliant[5], et apportez un fauteuil.

M. DIMANCHE – Monsieur, vous vous moquez, et...

notes

1. d'abord : tout de suite.
2. qu'on ne me fît parler personne : qu'on ne fasse entrer personne pour me parler.
3. connaître les gens : savoir à qui vous avez à faire.
4. contre moi : près de moi.
5. ôtez ce pliant : le protocole voulait que la

nature du siège correspondît au rang social. Don Juan fait asseoir monsieur Dimanche sur un siège réservé aux plus hauts aristocrates.

DON JUAN – Non, non, je sais ce que je vous dois, et je ne veux point qu'on mette de différence entre nous deux.

M. DIMANCHE – Monsieur...

55 DON JUAN – Allons, asseyez-vous.

M. DIMANCHE – Il n'est pas besoin, Monsieur, et je n'ai qu'un mot à vous dire. J'étais...

DON JUAN – Mettez-vous là, vous dis-je.

M. DIMANCHE – Non, Monsieur. Je suis bien. Je viens pour...

60 DON JUAN – Non, je ne vous écoute point si vous n'êtes assis.

M. DIMANCHE – Monsieur, je fais ce que vous voulez. Je...

DON JUAN – Parbleu ! monsieur Dimanche, vous vous portez bien.

M. DIMANCHE – Oui, Monsieur, pour vous rendre service. Je suis
65 venu...

DON JUAN – Vous avez un fonds de santé admirable, des lèvres fraîches, un teint vermeil et des yeux vifs.

M. DIMANCHE – Je voudrais bien...

DON JUAN – Comment se porte madame Dimanche, votre épou-
70 se ?

M. DIMANCHE – Fort bien, Monsieur, Dieu merci.

DON JUAN – C'est une brave femme.

M. DIMANCHE – Elle est votre servante, Monsieur. Je venais...

DON JUAN – Et votre petite fille Claudine, comment se porte-
75 t-elle ?

M. DIMANCHE – Le mieux du monde.

DON JUAN – La jolie petite fille que c'est ! je l'aime de tout mon cœur.

M. DIMANCHE – C'est trop d'honneur que vous lui faites,
80 Monsieur. Je vous...

DON JUAN – Et le petit Colin, fait-il toujours bien du bruit avec son tambour ?

M. DIMANCHE – Toujours de même, Monsieur. Je...

DON JUAN – Et votre petit chien Brusquet ? gronde-t-il toujours
85 aussi fort, et mord-il toujours bien aux jambes les gens qui vont chez vous ?

M. DIMANCHE – Plus que jamais, Monsieur, et nous ne saurions en chevir[1].

DON JUAN – Ne vous étonnez pas si je m'informe des nouvelles
90 de toute la famille, car j'y prends beaucoup d'intérêt.

M. DIMANCHE – Nous vous sommes, Monsieur, infiniment obligés. Je...

DON JUAN, *lui tendant la main* – Touchez donc là[2], monsieur Dimanche. Êtes-vous bien de mes amis ?

95 M. DIMANCHE – Monsieur, je suis votre serviteur.

DON JUAN – Parbleu ! je suis à vous de tout mon cœur.

M. DIMANCHE – Vous m'honorez trop. Je...

DON JUAN – Il n'y a rien que je ne fisse pour vous.

M. DIMANCHE – Monsieur, vous avez trop de bonté pour moi.

100 DON JUAN – Et cela sans intérêt, je vous prie de le croire.

M. DIMANCHE – Je n'ai point mérité cette grâce, assurément. Mais, Monsieur...

DON JUAN – Oh çà, monsieur Dimanche, sans façon, voulez-vous souper avec moi ?

---

notes

1. **nous ne saurions en chevir** : nous ne pouvons en venir à bout.

2. **touchez donc là** : serrez-moi la main. Ce geste, beaucoup plus solennel qu'aujourd'hui, confirme un accord, un engagement.

105   M. DIMANCHE – Non, Monsieur, il faut que je m'en retourne tout à l'heure[1]. Je...

DON JUAN, *se levant* – Allons, vite un flambeau pour conduire monsieur Dimanche, et que quatre ou cinq de mes gens prennent des mousquetons[2] pour l'escorter.

110   M. DIMANCHE, *se levant de même* – Monsieur, il n'est pas nécessaire, et je m'en irai bien tout seul. Mais...

(Sganarelle ôte les sièges promptement.)

DON JUAN – Comment ! je veux qu'on vous escorte, et je m'intéresse trop à votre personne ; je suis votre serviteur, et de

115   plus votre débiteur.

M. DIMANCHE – Ah ! Monsieur...

DON JUAN – C'est une chose que je ne cache pas, et je le dis à tout le monde.

M. DIMANCHE – Si...

120   DON JUAN – Voulez-vous que je vous reconduise ?

M. DIMANCHE – Ah ! Monsieur, vous vous moquez. Monsieur...

DON JUAN – Embrassez-moi[3] donc, s'il vous plaît. Je vous prie encore une fois d'être persuadé que je suis tout à vous, et qu'il n'y a rien au monde que je ne fisse pour votre service. *(Il sort.)*

125   SGANARELLE – Il faut avouer que vous avez en Monsieur un homme qui vous aime bien.

M. DIMANCHE – Il est vrai ; il me fait tant de civilités et tant de compliments, que je ne saurais jamais lui demander de l'argent.

---

notes

1. **tout à l'heure :** tout de suite.
2. **mousquetons :** armes à feu.
3. **embrassez-moi :** venez dans mes bras. Ce geste est normalement réservé à un égal.

SGANARELLE – Je vous assure que toute sa maison[1] périrait pour
130 vous ; et je voudrais qu'il vous arrivât quelque chose, que
quelqu'un s'avisât de vous donner des coups de bâton : vous
verriez de quelle manière...

M. DIMANCHE – Je le crois ; mais, Sganarelle, je vous prie de lui
dire un petit mot de mon argent.

135 SGANARELLE – Oh ! ne vous mettez pas en peine, il vous paiera
le mieux du monde.

M. DIMANCHE – Mais vous, Sganarelle, vous me devez quelque
chose en votre particulier[2].

SGANARELLE – Fi ! ne parlez pas de cela.

140 M. DIMANCHE – Comment ! Je...

SGANARELLE – Ne sais-je pas bien que je vous dois ?

M. DIMANCHE – Oui, mais...

SGANARELLE – Allons, monsieur Dimanche, je vais vous éclairer.

M. DIMANCHE – Mais mon argent...

145 SGANARELLE, *prenant M. Dimanche par le bras* – Vous moquez-vous ?

M. DIMANCHE – Je veux...

SGANARELLE, *le tirant* – Eh !

M. DIMANCHE – J'entends...

SGANARELLE, *le poussant* – Bagatelles !

150 M. DIMANCHE – Mais...

SGANARELLE, *le poussant* – Fi !

M. DIMANCHE – Je...

SGANARELLE, *le poussant tout à fait hors du théâtre* – Fi ! vous dis-je.

---

notes

1. sa maison : l'ensemble
de ses serviteurs.

2. en votre particulier :
en ce qui vous concerne,
de votre côté.

Dom Juan

Scène 4

DON LOUIS, DON JUAN,
LA VIOLETTE, SGANARELLE

LA VIOLETTE – Monsieur, voilà Monsieur votre père.

155 DON JUAN – Ah ! me voici bien ! il me fallait cette visite pour me faire enrager.

DON LOUIS – Je vois bien que je vous embarrasse, et que vous vous passeriez fort aisément de ma venue. À dire vrai, nous nous incommodons étrangement[1] l'un l'autre ; et si vous êtes las de
160 me voir, je suis bien las aussi de vos déportements[2]. Hélas ! que nous savons peu ce que nous faisons quand nous ne laissons pas au Ciel le soin des choses qu'il nous faut, quand nous voulons être plus avisés que lui, et que nous venons à l'importuner par nos souhaits aveugles et nos demandes inconsidérées ! J'ai sou-
165 haité un fils avec des ardeurs non pareilles[3] ; je l'ai demandé sans relâche avec des transports incroyables[4] ; et ce fils, que j'obtiens en fatiguant le Ciel de vœux, est le chagrin et le supplice de cette vie même dont je croyais qu'il devait être la joie et la consolation. De quel œil, à votre avis, pensez-vous que je puisse
170 voir cet amas d'actions indignes, dont on a peine, aux yeux du monde, d'adoucir le mauvais visage[5], cette suite continuelle de méchantes[6] affaires, qui nous réduisent, à toutes heures, à lasser les bontés du Souverain, et qui ont épuisé auprès de lui le mérite de mes services[7] et le crédit de mes amis ? Ah ! quelle basses-
175 se est la vôtre ! Ne rougissez-vous point de mériter si peu votre naissance ? Êtes-vous en droit, dites-moi, d'en tirer quelque

notes

1. **étrangement :** de façon étonnante.
2. **déportements :** méfaits.
3. **des ardeurs non pareilles :** un courage exceptionnel.
4. **avec des transports incroyables :** intensément.
5. **adoucir le mauvais visage :** atténuer le mauvais effet.
6. **méchantes :** mauvaises.
7. **le mérite de mes services :** le crédit obtenu par mes services.

120

vanité ? Et qu'avez-vous fait dans le monde pour être gentilhomme ? Croyez-vous qu'il suffise d'en porter le nom et les
armes[1], et que ce nous soit une gloire d'être sorti d'un sang
180   noble lorsque nous vivons en infâmes[2] ? Non, non, la naissance
n'est rien où la vertu n'est pas. Aussi nous n'avons part à la gloire de nos ancêtres qu'autant que nous nous efforçons de leur
ressembler ; et cet éclat de leurs actions qu'ils répandent sur
nous, nous impose un engagement de leur faire le même hon-
185   neur, de suivre les pas qu'ils nous tracent[3], et de ne point dégénérer de leurs vertus[4], si nous voulons être estimés leurs
véritables descendants. Ainsi vous descendez en vain des aïeux
dont vous êtes né : ils vous désavouent pour leur sang[5], et tout
ce qu'ils ont fait d'illustre ne vous donne aucun avantage ; au
190   contraire, l'éclat n'en rejaillit sur vous qu'à votre déshonneur, et
leur gloire est un flambeau qui éclaire aux yeux d'un chacun la
honte de vos actions. Apprenez enfin qu'un gentilhomme qui
vit mal est un monstre dans la nature, que la vertu est le premier
titre de noblesse, que je regarde bien moins au nom qu'on signe
195   qu'aux actions qu'on fait, et que je ferais plus d'état[6] du fils d'un
crocheteur[7] qui serait honnête homme, que du fils d'un
monarque qui vivrait comme vous.

DON JUAN – Monsieur, si vous étiez assis, vous en seriez mieux
pour parler.

200   DON LOUIS – Non, insolent, je ne veux point m'asseoir, ni parler davantage, et je vois bien que toutes mes paroles ne font rien
sur ton âme. Mais sache, fils indigne, que la tendresse paternel-
le est poussée à bout par tes actions, que je saurai, plus tôt que

notes ....

1. **armes** : armoiries.
2. **infâmes** : indignes.
3. **les pas qu'il nous tracent :**
le chemin qu'ils nous
ouvrent.

4. **dégénérer de leurs vertus :**
être moins courageux
(vertueux ?) qu'eux.
5. **ils vous désavouent pour
leur sang** : ils vous renient.

6. **d'état** : de cas.
7. **crocheteur** : porteur
utilisant un crochet pour
tenir les charges.

205 tu ne penses, mettre une borne à tes dérèglements, prévenir sur toi[1] le courroux du Ciel, et laver par ta punition la honte de t'avoir fait naître. *(Il sort.)*

Scène 5

DON JUAN, SGANARELLE

DON JUAN – Eh ! mourez le plus tôt que vous pourrez, c'est le mieux que vous puissiez faire. Il faut que chacun ait son tour, et j'enrage de voir des pères qui vivent autant que leurs fils.
210 *(Il se met dans son fauteuil.)*

SGANARELLE – Ah ! Monsieur, vous avez tort.

DON JUAN – J'ai tort ?

SGANARELLE – Monsieur...

DON JUAN, *se lève de son siège* – J'ai tort ?

215 SGANARELLE – Oui, Monsieur, vous avez tort d'avoir souffert ce qu'il vous a dit, et vous le deviez mettre dehors par les épaules. A-t-on jamais rien vu de plus impertinent[2] ? Un père venir faire des remontrances à son fils, et lui dire de corriger ses actions, de se ressouvenir de sa naissance, de mener une vie
220 d'honnête homme, et cent autres sottises de pareille nature ! Cela se peut-il souffrir à un homme comme vous[3], qui savez comme il faut vivre ? J'admire votre patience ; et si j'avais été en votre place, je l'aurais envoyé promener. *(À part.)* Ô complaisance maudite, à quoi me réduis-tu !

225 DON JUAN – Me fera-t-on souper bientôt ?

notes ··

1. **prévenir sur toi** : devancer.
2. **impertinent** : déplacé.

3. **cela se peut-il souffrir à un homme comme vous** : un homme comme vous peut-il supporter cela.

Scène 6

DON JUAN, DONE ELVIRE,
RAGOTIN, SGANARELLE

RAGOTIN – Monsieur, voici une dame voilée qui vient vous parler.

DON JUAN – Que pourrait-ce être ?

SGANARELLE – Il faut voir.

230 DONE ELVIRE – Ne soyez point surpris, Don Juan, de me voir à cette heure et dans cet équipage¹. C'est un motif pressant qui m'oblige à cette visite, et ce que j'ai à vous dire ne veut point du tout de retardement. Je ne viens point ici pleine de ce courroux que j'ai tantôt fait éclater, et vous me voyez bien changée

235 de ce que j'étais ce matin. Ce n'est plus cette Done Elvire qui faisait des vœux contre vous, et dont l'âme irritée ne jetait que menaces et ne respirait que vengeance. Le Ciel a banni de mon âme toutes ces indignes ardeurs² que je sentais pour vous, tous ces transports³ tumultueux d'un attachement criminel, tous ces

240 honteux emportements d'un amour terrestre et grossier ; et il n'a laissé dans mon cœur pour vous qu'une flamme épurée de tout le commerce des sens⁴, une tendresse toute sainte, un amour détaché de tout, qui n'agit point pour soi, et ne se met en peine que de votre intérêt.

245 DON JUAN, *à Sganarelle* – Tu pleures, je pense.

SGANARELLE – Pardonnez-moi.

notes

1. **équipage** : tenue.
2. **ces indignes ardeurs** : cette passion méprisable.
3. **transports** : sentiments, élans.

4. **une flamme épurée de tout le commerce des sens** : un amour débarrassé de sensualité.

123

DONE ELVIRE – C'est ce parfait et pur amour qui me conduit ici
pour votre bien, pour vous faire part d'un avis du Ciel, et tâcher
de vous retirer du précipice où vous courez. Oui, Don Juan, je
250   sais tous les dérèglements[1] de votre vie, et ce même Ciel qui
m'a touché le cœur et fait jeter les yeux sur les égarements de
ma conduite, m'a inspiré de vous venir trouver, et de vous dire,
de sa part, que vos offenses ont épuisé sa miséricorde, que sa
colère redoutable est prête de tomber sur vous, qu'il est en vous[2]
255   de l'éviter par un prompt repentir, et que peut-être vous n'avez
pas encore un jour à vous pouvoir soustraire au plus grand de
tous les malheurs. Pour moi, je ne tiens plus à vous par aucun
attachement du monde[3] ; je suis revenue, grâces au Ciel, de
toutes mes folles pensées ; ma retraite est résolue[4], et je ne
260   demande qu'assez de vie pour pouvoir expier la faute que j'ai
faite, et mériter, par une austère pénitence, le pardon de l'aveuglement où m'ont plongée les transports d'une passion
condamnable. Mais, dans cette retraite, j'aurais une douleur
extrême qu'une personne que j'ai chérie tendrement devînt un
265   exemple funeste de la justice du Ciel ; et ce me sera une joie
incroyable si je puis vous porter[5] à détourner de dessus votre
tête l'épouvantable coup qui vous menace. De grâce, Don Juan,
accordez-moi, pour dernière faveur, cette douce consolation ;
ne me refusez point votre salut, que je vous demande avec
270   larmes ; et si vous n'êtes point touché de votre intérêt, soyez-le
au moins de mes prières, et m'épargnez le cruel déplaisir de
vous voir condamner à des supplices éternels.

SGANARELLE, *à part* – Pauvre femme !

notes

1. **dérèglements** : mauvaises actions.
2. **il est en vous** : il ne tient qu'à vous.

3. **je ne tiens plus à vous par aucun attachement du monde** : je ne vous suis plus attachée pour des raisons propres à la vie terrestre.

4. **ma retraite est résolue** : je suis décidée à me retirer au couvent.
5. **porter** : inciter.

DONE ELVIRE – Je vous ai aimé avec une tendresse extrême, rien
275 au monde ne m'a été si cher que vous ; j'ai oublié mon devoir
pour vous, j'ai fait toutes choses pour vous ; et toute la récom-
pense que je vous en demande, c'est de corriger votre vie, et de
prévenir[1] votre perte. Sauvez-vous, je vous prie, ou pour
l'amour de vous, ou pour l'amour de moi. Encore une fois, Don
280 Juan, je vous le demande avec larmes ; et si ce n'est assez des
larmes d'une personne que vous avez aimée, je vous en conjure par tout ce qui est le plus capable de vous toucher.

SGANARELLE, *à part* – Cœur de tigre !

DONE ELVIRE – Je m'en vais, après ce discours, et voilà tout ce
285 que j'avais à vous dire.

DON JUAN – Madame, il est tard, demeurez ici : on vous y loge-
ra le mieux qu'on pourra.

DONE ELVIRE – Non, Don Juan, ne me retenez pas davantage.

DON JUAN – Madame, vous me ferez plaisir de demeurer, je vous
290 assure.

DONE ELVIRE – Non, vous dis-je, ne perdons point de temps en
discours superflus. Laissez-moi vite aller, ne faites aucune
instance pour me conduire[2], songez seulement à profiter de
mon avis.

notes ·······································

1. prévenir : éviter.
2. ne faites aucune instance
pour me conduire : n'insistez
pas pour me reconduire.

Scène 7 Don Juan, Sganarelle, Suite

295 Don Juan – Sais-tu bien que j'ai encore senti quelque peu d'émotion pour elle, que j'ai trouvé de l'agrément dans cette nouveauté bizarre, et que son habit négligé, son air languissant et ses larmes ont réveillé en moi quelques petits restes d'un feu éteint ?

300 Sganarelle – C'est-à-dire que ses paroles n'ont fait aucun effet sur vous.

Don Juan – Vite à souper.

Sganarelle – Fort bien.

Don Juan, *se mettant à table* – Sganarelle, il faut songer à
305 s'amender[1] pourtant.

Sganarelle – Oui-da !

Don Juan – Oui, ma foi ! il faut s'amender ; encore vingt ou trente ans de cette vie-ci, et puis nous songerons à nous.

Sganarelle – Oh !

310 Don Juan – Qu'en dis-tu ?

Sganarelle – Rien, voilà le souper.

(Il prend un morceau d'un des plats qu'on apporte, et le met dans sa bouche.)

Don Juan – Il me semble que tu as la joue enflée ; qu'est-ce que
315 c'est ? Parle donc, qu'as-tu là ?

Sganarelle – Rien.

Don Juan – Montre un peu. Parbleu ! c'est une fluxion[2] qui lui est tombée sur la joue. Vite, une lancette[3] pour percer cela ! Le pauvre garçon n'en peut plus, et cet abcès le pourrait étouffer.
320 Attends : voyez comme il était mûr. Ah ! coquin que vous êtes !

passage analysé

notes

| 1. **s'amender** : se corriger. | 2. **fluxion** : abcès. | 3. **lancette** : bistouri.

SGANARELLE – Ma foi ! Monsieur, je voulais voir si votre cuisi-
nier n'avait point mis trop de sel ou trop de poivre.

DON JUAN – Allons, mets-toi là, et mange. J'ai affaire de toi[1]
quand j'aurai soupé. Tu as faim, à ce que je vois.

325 SGANARELLE, *se met à table* – Je le crois bien, Monsieur : je n'ai
point mangé depuis ce matin. Tâtez[2] de cela, voilà qui est le
meilleur du monde.

(Un laquais ôte les assiettes de Sganarelle d'abord[3] qu'il y a dessus à manger.)

Mon assiette, mon assiette ! tout doux, s'il vous plaît. Vertubleu[4] !
330 petit compère, que vous êtes habile à donner des assiettes nettes !
et vous, petit La Violette, que vous savez présenter à boire à propos !

*(Pendant qu'un laquais donne à boire à Sganarelle, l'autre laquais ôte
encore son assiette.)*

DON JUAN – Qui peut frapper de cette sorte ?

335 SGANARELLE – Qui diable nous vient troubler dans notre repas ?

DON JUAN – Je veux souper en repos au moins, et qu'on ne laisse entrer personne.

SGANARELLE – Laissez-moi faire, je m'y en vais moi-même.

DON JUAN – Qu'est-ce donc ? Qu'y a-t-il ?

340 SGANARELLE, *baissant la tête comme a fait la statue* – Le... qui est là !

DON JUAN – Allons voir, et montrons que rien ne me saurait
ébranler[5].

SGANARELLE – Ah ! pauvre Sganarelle, où te cacheras-tu ?

---

notes

1. j'ai affaire de toi : j'aurai
besoin de toi.
2. tâtez : goûtez.
3. d'abord que : dès que.

4. vertubleu : par la vertu
de Dieu.
5. ne me saurait ébranler :
ne peut me troubler.

Scène 8

Don Juan, la Statue
du Commandeur, *qui vient se
mettre à table*, Sganarelle, Suite

345 Don Juan *à ses gens* – Une chaise et un couvert, vite donc. *(À Sganarelle.)* Allons, mets-toi à table.

Sganarelle – Monsieur, je n'ai plus faim.

Don Juan – Mets-toi là, te dis-je. À boire. À la santé du Commandeur : je te la porte[1], Sganarelle. Qu'on lui donne du vin.

350 Sganarelle – Monsieur, je n'ai pas soif.

Don Juan – Bois, et chante ta chanson, pour régaler[2] le Commandeur.

Sganarelle – Je suis enrhumé, Monsieur.

Don Juan – Il n'importe. Allons. Vous autres, venez, accompa-
355 gnez sa voix.

La Statue – Don Juan, c'est assez. Je vous invite à venir demain souper avec moi. En aurez-vous le courage ?

Don Juan – Oui, j'irai, accompagné du seul Sganarelle.

Sganarelle – Je vous rends grâce, il est demain jeûne pour moi.

360 Don Juan, *à Sganarelle* – Prends ce flambeau.

La Statue – On n'a pas besoin de lumière, quand on est conduit par le Ciel.

notes

1. **je te la porte** : je lève mon verre.

2. **régaler** : faire honneur, distraire.

L'escalade dans la provocation

Lecture analytique de l'extrait p. 126, ligne 295 à p. 128, ligne 362

L'action se noue.

Le souper auquel la statue a été invitée a été différé par trois visites qui ont permis d'accroître le suspens et de souligner l'immoralité du héros qui ne paye pas ses dettes et méprise les bourgeois comme les paysans. Don Louis qui reproche à son fils la transgression de la morale aristocratique et annonce une punition terrestre et divine est éconduit avec insolence. Ici, Molière édulcore le personnage qui maltraite, voire tue son père dans les versions tragiques antérieures. Toutefois, dans la scène suivante, devant Sganarelle qui prend momentanément le parti du père, Don Juan souhaite sa mort. Puis, Elvire, repentie, enjoint Don Juan de ne pas continuer à provoquer le Ciel. Mais, ni la malédiction, ni cette supplication émouvante ne seront entendues : Don Juan répond à Elvire par une invitation libertine.

Don Juan scandalise mais, en même temps, son insolence et son audace séduisent, tout comme la manière adroite et brillante dont il se débarrasse d'un créancier. Molière exploite un autre lieu commun* comique : un personnage en empêche un autre de s'expliquer, tout en jouant sur l'aspect jubilatoire du cynisme* de ce grand seigneur.

Ces différentes scènes représentent ainsi une progression dans la vigueur de tonalités contradictoires que concentrent les scènes 6 et 7.

Le burlesque*

Dans la version de Tirso de Molina, la scène est assez longue et offre tout un développement comique qui repose sur la couardise du *gracioso* (nom des valets de *comedia* espagnole)

* : *Cf.* Lexique.

Catherinon et sur sa réassurance progressive quand il se voit tenu de faire la conversation à la statue. Dans ces scènes, Molière s'inspire aussi des techniques comiques de la *commedia dell'arte**. Il jouait le rôle de Sganarelle en forçant sur les effets de la gestuelle et des intonations.

Le valet de la *commedia dell'arte* est de plusieurs types : à côté de Brighella, on trouve Arlequin (immigré paysan, qui cherche du travail, naïf, glouton et paillard), Piero (candide et honnête) qui est parfois manipulé par Brighella, ou Polichinelle à la double bosse (vieux garçon égoïste et vicieux). Le zanni peut être rusé ou balourd, lâche ou audacieux, battu et malmené ou intriguant et cynique mais il reste un être pauvre et toujours affamé qui cherche par tous les moyens à se procurer de l'argent et de la nourriture.

.... **Sganarelle, valet de la tradition italienne** ....

❶ À partir des didascalies* et des répliques* de Sganarelle, définissez son comportement dans ces deux scènes. À quels modèles correspond-il ? Son attitude ici est-elle la même que dans le reste de la pièce ?

❷ Comment Sganarelle est-il traité par son maître ? Quelle fonction remplit-il sur le plan de l'action et comment modifie-t-il la tonalité des scènes par ses propos et son comportement ?

La valeur respective des deux personnages

Chez les prédécesseurs de Molière, le Commandeur est un personnage exemplaire à qui le roi a fait élever un mausolée en reconnaissance de son comportement héroïque. Il accourt aux cris de sa fille Dona Anna auprès de qui Don Juan s'est immiscé pour la violer et il meurt en la défendant. Don Juan, lui, est un personnage méprisable qui viole ou abuse toutes celles qu'il rencontre et fréquente des prostituées en compagnie de dépravés de la même espèce que lui.

* : *Cf.* Lexique.

Chez Molière, on ignore les raisons précises du duel qui fut fatal au Commandeur. Par ailleurs, Don Juan décrit ce dernier à l'acte III comme un vaniteux qui fait construire de son vivant un tombeau somptueux, un hypocrite qui a dissimulé toute sa vie, en vivant de façon modeste, sa vraie nature.

.... **Qui est bon ? Qui est méchant ?** ....

❸ Comment Molière valorise-t-il ici le personnage de Don Juan dans sa relation avec Sganarelle ? et avec la statue ?

❹ Justifiez le choix de Molière de ne prêter qu'une réplique laconique au Commandeur.

Le spectaculaire

Au XVIIᵉ siècle, la superstition et la religion n'avaient pas toujours des frontières bien nettes comme le montre l'attitude de Sganarelle. Le surnaturel* était admis communément, et ses manifestations étaient de plus le prétexte à des effets scéniques spectaculaires dont le public était friand. De nos jours, les croyances ne sont plus les mêmes. Les metteurs en scène modernes se sont beaucoup interrogés sur la façon de réaliser cette scène qui risquait au moindre faux pas de sombrer dans le ridicule.

.... **Des lectures multiples** ....

❺ Quels éléments du texte de Molière, explicites ou implicites, peuvent autoriser l'interprétation proposée par la mise en scène de J.-L. Boutté (pp. 184 à 186) ?

❻ Analysez la représentation du Commandeur choisie par P. Chéreau pour le spectacle joué au théâtre Gérard-Philipe de Saint-Denis en 1969 (lire le texte, pp. 186-187).

* : Cf. Lexique.

Le surnaturel au théâtre

Lectures croisées et travaux d'écriture

L'impératif de vraisemblance n'est pas forcément incompatible avec le surnaturel* au théâtre, particulièrement aux XVIe et XVIIe siècles, période où le rationalisme ne s'était pas encore imposé. La dimension superstitieuse de la foi de Sganarelle, les affaires de sorcellerie qui défrayèrent la chronique à l'époque de Louis XIV montrent que le monde des esprits était censé côtoyer de près celui des humains. Ainsi, le théâtre élisabéthain et particulièrement celui de William Shakespeare (1564-1616) fait souvent intervenir des spectres, des personnages féeriques ou des sorciers. Molière fait de même. L'incrédulité croissante et les exigences de réalisme propres aux XVIIIe et XIXe siècles relégueront ce type de personnages dans les contes fantastiques. Mais au XXe siècle, l'inspiration poétique de Jean Cocteau (1889-1963) les reconvoque sur la scène théâtrale ou au cinéma. Dans *La Machine infernale*, il réinterprète le mythe antique d'Œdipe dont le destin était de tuer son père et d'épouser sa mère. Il renouvelle particulièrement la rencontre entre le jeune homme et le monstre qui terrifiait la ville de Thèbes, le sphinx.

William Shakespeare, *Hamlet*

Hamlet est le fils du roi de Danemark et de la reine Gertrude. À la mort du roi, sa veuve a épousé le frère du défunt, Claudius, qui est monté sur le trône. Un spectre vient cependant faire une révélation à Hamlet.

LE SPECTRE – [...] Écoute, Hamlet : on a fait croire que j'avais été piqué par un serpent pendant que je dormais dans mon verger. Par ce récit trompeur, l'oreille entière du Danemark a été grossièrement abusée. Mon noble enfant, c'est le serpent qui m'a mordu, qui porte aujourd'hui ma couronne.

* : *Cf.* Lexique.

HAMLET – Ô mon âme prophétique ! Mon oncle !

LE SPECTRE – Oui, cette bête adultère et incestueuse, par des sortilèges de son cru, des dons perfides – maudits soient l'esprit et les dons qui ont ainsi pouvoir de séduction – sut gagner à sa lubricité honteuse le vouloir de ma reine aux vertueux semblants. Ô Hamlet, quelle déchéance ce fut là : me quitter, moi, dont l'amour avait la dignité du serment même que je lui fis le jour des noces, pour tomber dans les bras d'un misérable dont les dons naturels semblaient des mendiants près des miens ! Tout comme la vertu ne se laisse émouvoir quand la volupté pour la séduire emprunterait l'aspect du Ciel, ainsi la luxure, qu'on la marie avec un ange, si céleste que soit la couche elle saura s'y satisfaire et s'y repaître d'immondices. Mais hâtons-nous. Déjà je crois sentir le souffle du matin. Je dormais donc dans mon verger, après-midi selon ma coutume ; ton oncle se glissa dans ma sieste confiante, porteur d'une fiole pleine du suc de la maudite jusquiame, que dans le porche de mon oreille il vida – liqueur lépreuse, hostile au sang, qui se répand à travers les organes et par toutes les allées du corps, prompte autant que le vif-argent. Avec une efficacité soudaine, comme un acide dans du lait, elle caille et fige le sang subtil et généreux. Ainsi fit-elle ; et pareil à celui de Lazare, mon corps lisse se couvrit aussitôt d'une écorce dartreuse, squame immonde… Voici comment la main d'un frère me ravit, pendant mon sommeil, ma vie, ma couronne et ma reine ; sapé en pleine floraison de péché, sans sacrement ni confession, désappointé, sans m'être mis en règle, il m'a jeté devant mon Juge avec le faix de mes imperfections.

HAMLET – Horrible ! Horrible ! Oh ! très horrible !

LE SPECTRE – Si tu n'es pas dénaturé, ne tolère pas cela. N'abandonne pas à la luxure et à l'inceste le lit royal de Danemark. Mais tout en poursuivant la vengeance garde ton esprit pur, et retiens ton âme de tramer rien contre ta mère. Laisse faire au Ciel, et à ces épines qu'elle loge en son sein, qui la griffent et la déchirent. Maintenant, adieu. Au pressentiment du matin, le ver luisant déjà pâlit sa lueur impuissante : adieu, adieu ! Hamlet, souviens-toi. *(Il sort.)*

Hamlet, 1600-1601 (trad. André Gide).

William Shakespeare, *Macbeth*

Macbeth, poussé par sa femme, a tué le roi d'Écosse, Duncan, et usurpé le trône. Il a également assassiné Banquo à qui les sorcières avaient prédit que sa descendance règnerait. Macbeth, inquiet, consulte à nouveau les sorcières.

[Une première apparition, une tête armée d'un casque, prévient Macbeth de se méfier de Macduff. Une deuxième, un enfant ensanglanté, l'inquiète au point qu'il finit par projeter d'assassiner Macduff. Une troisième, un enfant couronné ayant un arbre dans la main, lui annonce le jour de sa défaite. Macbeth reste incrédule mais veut pourtant en savoir plus...]

[...] Mon cœur qui palpite veut savoir une chose : Dites-moi, si votre art peut aller jusque-là : la postérité de Banquo régnera-t-elle jamais sur ce royaume ?

LES TROIS SORCIÈRES – Ne cherche pas à en savoir davantage.

MACBETH – Je veux être satisfait ! Ne me refusez pas ceci, ou qu'une éternelle malédiction vous accable ! Que je sache tout ! Pourquoi ce chaudron s'enfonce-t-il ? et quel est ce bruit ? *(Hautbois)*

PREMIÈRE SORCIÈRE – Paraissez !

DEUXIÈME SORCIÈRE – Paraissez !

TROISIÈME SORCIÈRE – Paraissez !

LES TROIS SORCIÈRES – Paraissez à ses yeux en affligeant son cœur, venez et passez comme des ombres !

Une apparition de huit rois, le dernier avec un miroir à la main : le fantôme de Banquo les suit.

MACBETH – Tu es trop semblable au spectre de Banquo : À bas ! Ta couronne calcine mes prunelles ! Ta chevelure, à toi, autre front cerclé d'or, est comme celle du premier. Un troisième est pareil ! Répugnantes mégères ! Pourquoi me montrez-vous ceci ? Un quatrième ! Mes yeux, sortez de vos orbites ! Quoi ! La lignée s'étend jusqu'au coup de tonnerre du Jugement ?... Encore un ! Un septième ! Je ne veux plus rien voir ! Mais le huitième arrive, élevant un miroir qui m'en montre bien d'autres ! J'en aperçois qui portent le double globe avec le triple spectre ! Horrible vision ! Et je vois qu'elle est vraie, car Banquo, tout couvert de sang coagulé, me sourit et du doigt me montre en eux ses fils. *(Les apparitions s'évanouissent.)* Quoi ? En est-il ainsi ?

PREMIÈRE SORCIÈRE – Sire, il en est ainsi. Mais pourquoi Macbeth est-il frappé de stupeur ? Venez mes sœurs, égayons ses esprits et montrons-lui le meilleur de nos divertissements. Je vais charmer l'air pour qu'il rende des sons tandis que vous formerez votre fantastique ronde, afin que ce grand roi puisse aimablement dire que nos hommages ont fêté sa venue.

(Musique. Les sorcières dansent et s'évanouissent.)

Macbeth, 1605 (trad. Maurice Maeterlinck).

Jean Cocteau, *La Machine infernale*

Le sphinx, chez Cocteau, est une jeune fille lasse de tuer, accompagné d'Anubis, le dieu égyptien à tête de chacal. Elle est séduite par Œdipe qui ne l'a pas reconnue et elle lui révèle, en même temps que sa vraie nature, la solution de l'énigme qu'il doit trouver pour anéantir le monstre. Œdipe terrifié s'enfuit mais bientôt revient.

LE SPHINX – J'étais le Sphinx ! Non, Œdipe… Vous ramènerez ma dépouille à Thèbes et l'avenir vous récompensera… selon vos mérites. Non… je vous demande simplement de me laisser disparaître derrière ce mur afin d'ôter ce corps dans lequel je me trouve, l'avouerais-je, depuis quelques minutes, … un peu à l'étroit.

ŒDIPE – Soit ! Mais dépêchez-vous. La dernière fanfare… *(On entend les trompettes.)* Tenez, j'en parle, elle sonne. Il ne faudrait pas que je tarde.

LE SPHINX, *caché* – Thèbes ne laissera pas à la porte un héros.

LA VOIX D'ANUBIS, *derrière les ruines* – Hâtez-vous. Hâtez-vous… Madame. On dirait que vous inventez des prétextes et que vous traînez exprès.

LE SPHINX, *caché* – Suis-je la première, Dieu des morts, que tu doives tirer par sa robe ?

ŒDIPE – Vous gagnez du temps, Sphinx.

LE SPHINX, *caché* – N'en accusez que votre chance, Œdipe. Ma hâte vous eût joué un mauvais tour. Car une grave difficulté se présente. Si vous rapportez à Thèbes le cadavre d'une jeune fille, en place du monstre auquel les hommes s'attendent, la foule vous lapidera.

ŒDIPE – C'est juste ! Les femmes sont étonnantes ; elles pensent à tout.

Le Sphinx, *caché* – Ils m'appellent : la vierge à griffes… La chienne qui chante… Ils veulent reconnaître mes crocs. Ne vous inquiétez pas. Anubis ! Mon chien fidèle ! Écoute, puisque nos figures ne sont que des ombres, il me faut ta tête de chacal.

Œdipe – Excellent !

Anubis, *caché* – Faites ce qu'il vous plaira pourvu que cette honteuse comédie finisse, et que vous puissiez revenir à vous.

Le Sphinx, *caché* – Je ne serai pas longue.

Œdipe – Je compte jusqu'à cinquante comme tout à l'heure. C'est ma revanche.

Anubis, *caché* – Madame, Madame, qu'attendez-vous encore ?

Le Sphinx – Me voilà laide, Anubis. Je suis un monstre !… Pauvre gamin… si je l'effraye…

Anubis – Il ne vous verra même pas, soyez tranquille.

Le Sphinx – Est-il donc aveugle ?

Anubis – Beaucoup d'hommes naissent aveugles et ils ne s'en aperçoivent que le jour où une bonne vérité leur crève les yeux.

Œdipe – Cinquante !

Anubis, *caché* – Allez… Allez…

Le Sphinx, *caché* – Adieu, Sphinx !

(On voit sortir de derrière le mur, en chancelant, la jeune fille à tête de chacal. Elle bat l'air de ses bras et tombe.)

Jean Cocteau, *La Machine infernale*, 1934.

Corpus

Texte A : Scènes 7 et 8 de *Dom Juan* de Molière (p. 126, ligne 295, à p. 128, ligne 362).

Texte B : Scène 5 de l'acte I de *Hamlet* de Shakespeare (p. 132 et p. 133).

Texte C : Scène 1 de l'acte IV de *Macbeth* de Shakespeare (p. 134 et p. 135).

Texte D : Extrait de l'acte II de *La Machine infernale* de Jean Cocteau (p. 135 et p. 136).

Examen des textes

❶ Dans le texte B, étudiez les métaphores utilisées par le spectre pour caractériser son frère.

❷ Pourquoi le crime de Claudius est-il particulièrement atroce ? (texte B)

❸ Reconstituez, d'après les didascalies*, le résumé et les propos de Macbeth, les jeux de scène imaginés par Shakespeare (texte C).

❹ Quelle est la fonction de la musique dans le texte C ?

❺ Dans le texte D, quels sentiments très humains le sphinx exprime-t-il ?

❻ Dans le texte D, quels propos des divinités ont une résonance ironique* ?

Travaux d'écriture

Question préliminaire
Quelles sont les natures et les fonctions des personnages sur-naturels* qui apparaissent dans ces scènes ?

Commentaire
Vous commenterez la tirade* du spectre (p. 133, texte B).

Dissertation
Doit-on considérer le recours au surnaturel au théâtre comme une marque de superstition de l'auteur ?

Écriture d'invention
Prolongez la dernière réplique* du Commandeur dans la tona-lité* tragique.

* : *Cf.* Lexique.

Don Juan et la statue du Commandeur
de Fragonard (1829).

Acte V

Scène 1

DON LOUIS, DON JUAN,
SGANARELLE

DON LOUIS – Quoi ? mon fils, serait-il possible que la bonté du
Ciel eût exaucé mes vœux ? Ce que vous me dites est-il bien
vrai ? ne m'abusez[1]-vous point d'un faux espoir, et puis-je
prendre quelque assurance sur la nouveauté surprenante d'une
5 telle conversion ?

DON JUAN, *faisant l'hypocrite* – Oui, vous me voyez revenu de
toutes mes erreurs ; je ne suis plus le même d'hier au soir, et le
Ciel tout d'un coup a fait en moi un changement qui va surprendre tout le monde : il a touché mon âme et dessillé[2] mes
10 yeux, et je regarde avec horreur le long aveuglement où j'ai été,

notes ....

| **1. abusez :** trompez. | **2. dessillé :** ouvert.

et les désordres criminels de la vie que j'ai menée. J'en repasse dans mon esprit toutes les abominations, et m'étonne comme[1] le Ciel les a pu souffrir si longtemps, et n'a pas vingt fois sur ma tête laissé tomber les coups de sa justice redoutable. Je vois les grâces[2] que sa bonté m'a faites en ne me punissant point de mes crimes ; et je prétends en profiter comme je dois, faire éclater aux yeux du monde[3] un soudain changement de vie, réparer par là le scandale de mes actions passées, et m'efforcer d'en obtenir du Ciel une pleine rémission[4]. C'est à quoi je vais travailler ; et je vous prie, Monsieur, de vouloir bien contribuer à ce dessein[5], et de m'aider vous-même à faire choix d'une personne qui me serve de guide, et sous la conduite de qui je puisse marcher sûrement dans le chemin où je m'en vais entrer.

DON LOUIS – Ah ! mon fils, que la tendresse d'un père est aisément rappelée, et que les offenses d'un fils s'évanouissent vite au moindre mot de repentir ! Je ne me souviens plus déjà de tous les déplaisirs que vous m'avez donnés, et tout est effacé par les paroles que vous venez de me faire entendre. Je ne me sens pas[6], je l'avoue ; je jette des larmes de joie ; tous mes vœux sont satisfaits, et je n'ai plus rien désormais à demander au Ciel. Embrassez-moi, mon fils, et persistez, je vous conjure, dans cette louable pensée. Pour moi, j'en vais tout de ce pas porter l'heureuse nouvelle à votre mère, partager avec elle les doux transports[7] du ravissement où je suis, et rendre grâce au Ciel des saintes résolutions qu'il a daigné vous inspirer.

notes

1. **je m'étonne comme :** je suis fortement surpris de la façon dont.
2. **grâces :** faveurs.

3. **faire éclater aux yeux du monde :** manifester publiquement.
4. **une pleine rémission :** un pardon total.

5. **dessein :** projet.
6. **je ne me sens pas :** je ne me sens plus de joie, je suis extrêmement heureux.
7. **transports :** joies, élans.

Scène 2
DON JUAN, SGANARELLE

SGANARELLE – Ah ! Monsieur, que j'ai de joie de vous voir converti ! Il y a longtemps que j'attendais cela, et voilà, grâce au Ciel, tous mes souhaits accomplis.

DON JUAN – La peste le benêt[1] !

40 SGANARELLE – Comment, le benêt ?

DON JUAN – Quoi ? tu prends pour de bon argent ce que je viens de dire, et tu crois que ma bouche était d'accord avec mon cœur ?

SGANARELLE – Quoi ? ce n'est pas... Vous ne... Votre... Oh ! quel homme ! quel homme ! quel homme !

45 DON JUAN – Non, non, je ne suis point changé, et mes sentiments sont toujours les mêmes.

SGANARELLE – Vous ne vous rendez pas à[2] la surprenante merveille de cette statue mouvante et parlante ?

DON JUAN – Il y a bien quelque chose là-dedans que je ne com-
50 prends pas ; mais quoi que ce puisse être, cela n'est pas capable ni de convaincre mon esprit, ni d'ébranler mon âme ; et si j'ai dit que je voulais corriger ma conduite et me jeter dans un train de vie[3] exemplaire, c'est un dessein que j'ai formé par pure politique[4], un stratagème utile, une grimace[5] nécessaire où je
55 veux me contraindre, pour ménager un père dont j'ai besoin, et me mettre à couvert, du côté des hommes, de cent fâcheuses aventures qui pourraient m'arriver. Je veux bien, Sganarelle, t'en faire confidence, et je suis bien aise d'avoir un témoin du fond de mon âme et des véritables motifs qui m'obligent à faire
60 les choses.

---

notes

1. **benêt** : idiot.
2. **vous ne vous rendez pas à** : vous n'êtes pas convaincu par.
3. **me jeter dans un train de vie** : adopter un mode de vie.
4. **politique** : stratégie.
5. **grimace** : fausse attitude.

Dom Juan

SGANARELLE – Quoi ! vous ne croyez rien du tout, et vous voulez cependant vous ériger en homme de bien[1] ?

DON JUAN – Et pourquoi non ? Il y en a tant d'autres comme moi, qui se mêlent de ce métier[2], et qui se servent du même masque pour abuser le monde[3] !

SGANARELLE – Ah ! quel homme ! quel homme !

DON JUAN – Il n'y a plus de honte maintenant à cela : l'hypocrisie est un vice à la mode, et tous les vices à la mode passent pour vertus. Le personnage d'homme de bien est le meilleur de tous les personnages qu'on puisse jouer aujourd'hui, et la profession d'hypocrite a de merveilleux avantages. C'est un art[4] de qui[5] l'imposture est toujours respectée ; et quoiqu'on[6] la découvre, on n'ose rien dire contre elle. Tous les autres vices des hommes sont exposés à la censure[7] et chacun a la liberté de les attaquer hautement, mais l'hypocrisie est un vice privilégié, qui, de sa main, ferme la bouche à tout le monde, et jouit en repos d'une impunité souveraine[8]. On lie, à force de grimaces, une société étroite[9] avec tous les gens du parti. Qui en choque un, se les jette tous sur les bras ; et ceux que l'on sait même agir de bonne foi là-dessus, et que chacun connaît pour être véritablement touchés[10], ceux-là, dis-je, sont toujours les dupes des autres[11] ; ils donnent hautement dans le panneau des grimaciers, et appuient[12] aveuglément les singes de leurs actions[13]. Combien crois-tu que j'en connaisse qui, par ce stratagème, ont rhabillé[14]

notes

1. vous ériger en homme de bien : vous faire passer pour un homme exemplaire.
2. qui se mêlent de ce métier : qui font cela.
3. le monde : tout le monde.
4. art : savoir-faire.
5. de qui : dont.

6. quoiqu'on : même si on.
7. censure : critique.
8. souveraine : totale.
9. on lie une société étroite : on se lie d'amitié.
10. véritablement touchés : par la grâce, des croyants sincères (tournure elliptique).

11. sont toujours les dupes des autres : se laissent toujours tromper par les autres.
12. appuient : soutiennent.
13. les singes de leurs actions : ceux qui les imitent.
14. rhabillé : réparé.

142

85   adroitement les désordres de leur jeunesse, qui se sont fait un
bouclier du manteau de la religion, et, sous cet habit respecté,
ont la permission d'être les plus méchants hommes du monde ?
On a beau savoir leurs intrigues et les connaître pour ce qu'ils
sont, ils ne laissent pas pour cela d'être en crédit[1] parmi les gens ;
90   et quelque baissement de tête, un soupir mortifié[2], et deux rou-
lements d'yeux rajustent[3] dans le monde tout ce qu'ils peuvent
faire. C'est sous cet abri favorable que je veux me sauver, et
mettre en sûreté mes affaires. Je ne quitterai point mes douces
habitudes ; mais j'aurai soin de me cacher et me divertirai à petit
95   bruit. Que si je viens à être découvert, je verrai, sans me remuer,
prendre mes intérêts à toute la cabale[4], et je serai défendu par
elle envers et contre tous. Enfin c'est là le vrai moyen de faire
impunément tout ce que je voudrai. Je m'érigerai en censeur[5]
des actions d'autrui, jugerai mal de tout le monde, et n'aurai
100   bonne opinion que de moi. Dès qu'une fois on m'aura choqué
tant soit peu, je ne pardonnerai jamais et garderai tout doucement une haine irréconciliable. Je ferai le vengeur des intérêts
du Ciel[6], et, sous ce prétexte commode, je pousserai[7] mes ennemis, je les accuserai d'impiété, et saurai déchaîner contre eux
105   des zélés indiscrets[8], qui, sans connaissance de cause, crieront en
public contre eux, qui les accableront d'injures, et les damneront
hautement de leur autorité privée[9]. C'est ainsi qu'il faut
profiter des faiblesses des hommes, et qu'un sage esprit
s'accommode[10] aux vices de son siècle.

notes

1. **ils ne laissent pas pour cela d'être en crédit :** ils sont malgré tout bien considérés.
2. **mortifié :** exprimant la punition qu'on s'inflige.
3. **rajustent :** excusent, corrigent l'effet.

4. **prendre mes intérêts à toute la cabale :** tout le groupe des dévots défendre mes intérêts.
5. **censeur :** juge sévère.
6. **je ferai le vengeur des intérêts du Ciel :** je défendrai les intérêts de Dieu.

7. **pousserai :** poursuivrai.
8. **des zélés indiscrets :** des partisans enthousiastes et aveugles.
9. **de leur autorité privée :** en leur propre nom.
10. **s'accommode :** s'adapte.

110 SGANARELLE – Ô Ciel ! qu'entends-je ici ? Il ne vous manquait plus que d'être hypocrite pour vous achever de tout point[1], et voilà le comble des abominations. Monsieur, cette dernière-ci m'emporte et je ne puis m'empêcher de parler. Faites-moi tout ce qu'il vous plaira, battez-moi, assommez-moi de coups, tuez-

115 moi, si vous voulez : il faut que je décharge mon cœur, et qu'en valet fidèle je vous dise ce que je dois. Sachez, Monsieur, que tant va la cruche à l'eau, qu'enfin elle se brise ; et comme dit fort bien cet auteur que je ne connais pas, l'homme est en ce monde ainsi que l'oiseau sur la branche ; la branche est attachée

120 à l'arbre ; qui s'attache à l'arbre suit de bons préceptes ; les bons préceptes valent mieux que les belles paroles ; les belles paroles se trouvent à la cour ; à la cour sont les courtisans ; les courti-sans suivent la mode ; la mode vient de la fantaisie ; la fantaisie est une faculté de l'âme ; l'âme est ce qui nous donne la vie ; la

125 vie finit par la mort ; la mort nous fait penser au Ciel ; le Ciel est au-dessus de la terre ; la terre n'est point la mer ; la mer est sujette aux orages ; les orages tourmentent[2] les vaisseaux ; les vaisseaux ont besoin d'un bon pilote ; un bon pilote a de la pru-dence ; la prudence n'est point dans les jeunes gens ; les jeunes

130 gens doivent obéissance aux vieux ; les vieux aiment les richesses ; les richesses font les riches ; les riches ne sont pas pauvres ; les pauvres ont de la nécessité[3] ; la nécessité n'a point de loi ; qui n'a pas de loi vit en bête brute[4] ; et, par conséquent, vous serez damné à tous les diables.

135 DON JUAN – Ô le beau raisonnement !

SGANARELLE – Après cela, si vous ne vous rendez, tant pis pour vous.

notes ·····

1. pour vous achever de tout point : pour compléter le personnage.
2. tourmentent : malmènent.

3. ont de la nécessité : ont besoin de tout.
4. brute : sauvage.

Scène 3

DON CARLOS, DON JUAN,
SGANARELLE

DON CARLOS – Don Juan, je vous trouve à propos, et suis bien
aise de vous parler ici plutôt que chez vous, pour vous deman-
140   der vos résolutions. Vous savez que ce soin me regarde[1], et que
je me suis en votre présence chargé de cette affaire. Pour moi,
je ne le cèle point, je souhaite fort que les choses aillent dans la
douceur ; et il n'y a rien que je fasse pour porter votre esprit à
vouloir prendre cette voie, et pour vous voir publiquement
145   confirmer à ma sœur le nom de votre femme.

DON JUAN, *d'un ton hypocrite* – Hélas ! je voudrais bien, de tout
mon cœur, vous donner la satisfaction que vous souhaitez ;
mais le Ciel s'y oppose directement : il a inspiré à mon âme
le dessein de changer de vie, et je n'ai point d'autre pensée
150   maintenant que de quitter entièrement tous les attachements
du monde[2], de me dépouiller au plus tôt de toutes sortes de
vanités[3], et de corriger désormais par une austère conduite tous
les dérèglements criminels où m'a porté le feu[4] d'une aveugle
jeunesse.

155   DON CARLOS – Ce dessein, Don Juan, ne choque point ce que
je dis ; et la compagnie d'une femme légitime peut bien
s'accommoder avec les louables pensées que le Ciel vous inspire.

DON JUAN – Hélas ! point du tout. C'est un dessein que votre
sœur elle-même a pris : elle a résolu sa retraite, et nous avons été
160   touchés[5] tous deux en même temps.

notes

1. ce soin me regarde : cette affaire me concerne.

2. quitter tous les attachements du monde : renoncer à tout ce qui semble important dans la société humaine.

3. me dépouiller de toutes sortes de vanités : me débarrasser de préoccupations futiles aux yeux de la religion.

4. le feu : la fougue.

5. touchés : convertis par la grâce (tournure elliptique).

DON CARLOS – Sa retraite ne peut nous satisfaire, pouvant être imputée au mépris que vous feriez d'elle et de notre famille ; et notre honneur demande qu'elle vive avec vous.

165 DON JUAN – Je vous assure que cela ne se peut. J'en avais, pour moi, toutes les envies du monde, et je me suis même encore aujourd'hui conseillé au Ciel[1] pour cela ; mais lorsque je l'ai consulté, j'ai entendu une voix qui m'a dit que je ne devais point songer à votre sœur, et qu'avec elle assurément je ne ferais point mon salut[2].

170 DON CARLOS – Croyez-vous, Don Juan, nous éblouir[3] par ces belles excuses ?

DON JUAN – J'obéis à la voix du Ciel.

DON CARLOS – Quoi ! vous voulez que je me paie[4] d'un semblable discours ?

175 DON JUAN – C'est le Ciel qui le veut ainsi.

DON CARLOS – Vous aurez fait sortir ma sœur d'un convent pour la laisser ensuite ?

DON JUAN – Le Ciel l'ordonne de la sorte.

DON CARLOS – Nous souffrirons cette tache en notre famille ?

180 DON JUAN – Prenez-vous-en au Ciel.

DON CARLOS – Eh quoi ! toujours le Ciel !

DON JUAN – Le Ciel le souhaite comme cela.

DON CARLOS – Il suffit, Don Juan, je vous entends[5]. Ce n'est pas ici que je veux vous prendre[6], et le lieu ne le souffre pas[7] ; mais,
185 avant qu'il soit peu, je saurai vous trouver.

passage analysé

notes

1. **je me suis conseillé au Ciel :** j'ai demandé conseil à Dieu.

2. **je ne ferais point mon salut :** je ne sauverais pas mon âme.

3. **éblouir :** aveugler, tromper.

4. **que je me paie de :** que j'accepte.

5. **entends :** comprends.

6. **vous prendre :** me battre avec vous.

7. **le lieu ne le souffre pas :** c'est impossible dans un tel endroit.

DON JUAN – Vous ferez ce que vous voudrez ; vous savez que je ne manque point de cœur, et que je sais me servir de mon épée quand il le faut. Je m'en vais passer tout à l'heure dans cette petite rue écartée qui mène au grand convent ; mais je vous déclare, pour moi, que ce n'est point moi qui veux me battre : le Ciel m'en défend la pensée ; et si vous m'attaquez, nous verrons ce qui en arrivera.

DON CARLOS – Nous verrons, de vrai, nous verrons.

Scène 4   DON JUAN, SGANARELLE

SGANARELLE – Monsieur, quel diable de style prenez-vous là ? Ceci est bien pis que le reste, et je vous aimerais bien mieux encore comme vous étiez auparavant. J'espérais toujours de votre salut ; mais c'est maintenant que j'en désespère ; et je crois que le Ciel, qui vous a souffert jusques ici, ne pourra souffrir du tout cette dernière horreur.

DON JUAN – Va, va, le Ciel n'est pas si exact[1] que tu penses ; et si toutes les fois que les hommes...

SGANARELLE, *apercevant un spectre* – Ah ! monsieur, c'est le Ciel qui vous parle, et c'est un avis qu'il vous donne.

note

1. **n'est pas si exact :** ne tient pas des comptes si exacts.

Scène 5

DON JUAN, UN SPECTRE *en femme voilée,* SGANARELLE

205 DON JUAN – Si le Ciel me donne un avis, il faut qu'il parle un peu plus clairement, s'il veut que je l'entende.

LE SPECTRE – Don Juan n'a plus qu'un moment à pouvoir profiter de la miséricorde du Ciel ; et s'il ne se repent ici, sa perte est résolue.

SGANARELLE – Entendez-vous, Monsieur ?

210 DON JUAN – Qui ose tenir ces paroles ? Je crois connaître cette voix.

SGANARELLE – Ah ! Monsieur, c'est un spectre : je le reconnais au marcher[1].

DON JUAN – Spectre, fantôme, ou diable, je veux voir ce que 215 c'est.

(Le spectre change de figure et représente le Temps avec sa faux à la main.)

SGANARELLE – Ô Ciel ! voyez-vous, Monsieur, ce changement de figure ?

DON JUAN – Non, non, rien n'est capable de m'imprimer de la 220 terreur[2], et je veux éprouver[3] avec mon épée si c'est un corps ou un esprit.

(Le spectre s'envole dans le temps que[4] Don Juan le veut frapper.)

SGANARELLE – Ah ! Monsieur, rendez-vous à tant de preuves, et jetez-vous vite dans le repentir.

---

notes

1. au marcher : à la démarche.

2. imprimer de la terreur : me terrifier.

3. éprouver : tester.

4. dans le temps que : au moment où.

Don Juan dans la mise en scène
de Roger Planchon
(théâtre de l'Odéon, 1980).

Sganarelle (Philippe Avron)
dans la mise en scène de Roger Planchon
(théâtre de l'Odéon, 1980).

Scène 6

LA STATUE, DON JUAN,
SGANARELLE

225 DON JUAN – Non, non, il ne sera pas dit, quoi qu'il arrive, que je sois capable de me repentir. Allons, suis-moi.

LA STATUE – Arrêtez, Don Juan : vous m'avez hier donné parole de venir manger avec moi.

DON JUAN – Oui. Où faut-il aller ?

230 LA STATUE – Donnez-moi la main.

DON JUAN – La voilà.

LA STATUE – Don Juan, l'endurcissement au péché[1] traîne[2] une mort funeste, et les grâces du Ciel que l'on renvoie ouvrent un chemin à sa foudre.

235 DON JUAN – Ô Ciel ! que sens-je ? Un feu invisible me brûle, je n'en puis plus, et tout mon corps devient un brasier ardent ! Ah !

(Le tonnerre tombe avec un grand bruit et de grands éclairs sur Don Juan ; la terre s'ouvre et l'abîme ; et il sort de grands feux de l'endroit où il est tombé.)

240 SGANARELLE – [Ah ! mes gages ! mes gages !] Voilà par sa mort un chacun satisfait : Ciel offensé, lois violées, filles séduites, familles déshonorées, parents outragés, femmes mises à mal, maris poussés à bout, tout le monde est content. Il n'y a que moi seul de malheureux... [Mes gages ! mes gages, mes gages !]

---

notes ....

**1. l'endurcissement au
péché :** l'obstination
dans ses fautes.

2. traîne : entraîne.

Le châtiment

Lecture analytique de l'extrait p. 146, ligne 176 à p. 151, ligne 244

Le dénouement* est évidemment le moment le plus fort de la pièce. La gradation dans le mal atteint son point culminant jusqu'au moment de rupture où le châtiment annoncé depuis le premier acte va se concrétiser. L'acte s'ouvre sur un double coup de théâtre : la conversion de Don Juan dont se réjouissent Don Louis et Sganarelle. Mais Don Juan révèle qu'il a imaginé cette ruse pour continuer à vivre comme il l'entend à l'abri des représailles. Devant une telle fourberie, Sganarelle reste sans voix. Don Juan joue le Ciel contre les hommes, bafoue encore plus gravement la religion en l'utilisant comme un bouclier paradoxal pour protéger son immoralité.

Cette manœuvre a également un intérêt dramatique car elle permet à Don Juan d'échapper à un duel et à une union qui l'encombre. Molière, enfin, en exploite aussi la dimension comique. Don Carlos, sans être dupe, se heurte à l'argument exaspérant de la volonté du Ciel. De plus, les spectateurs de l'époque reconnaissaient une satire des jésuites quand Molière mettait dans la bouche de Don Juan une réponse inspirée de certains arrangements avec sa conscience que ces derniers proposaient pour atténuer les rigueurs des interdits religieux.

Don Juan et le pouvoir de la parole

La séduction de Don Juan s'exerce surtout par la parole. Son discours charme aussi bien la noble Elvire que les simples Charlotte et Mathurine. Don Juan passe son temps à promettre sans jamais tenir ses promesses. Il tient un discours mystificateur et souvent arrogant.

* : Cf. Lexique.

Parler avec brio* pour faire l'éloge paradoxal d'un vice est un plaisir auquel le héros se livre à plusieurs reprises. Il est enchanté de paralyser, grâce à son aisance, un Sganarelle pourtant habitué et qui en oublie de se montrer scandalisé : « *Vertu de ma vie comme vous débitez ! Il semble que vous ayez appris cela par cœur et vous parlez tout comme un livre* » (p. 33, l. 165 à 167). Il sait reproduire avec une parfaite vraisemblance et de façon parfaitement convaincante le discours de la dévotion.

Il sait également prendre le pouvoir dans le dialogue : à l'aide d'un flot d'amabilités qui submerge Monsieur Dimanche ou en opposant un mur de mauvaise foi à Don Carlos.

À l'inverse, c'est le refus de parler qui lui donne la maîtrise de la situation quand Sganarelle l'interroge sur ses convictions ; il l'oblige ainsi à interpréter ses silences. Il sait alors laisser son adversaire ruiner lui-même sa démonstration. De même, ignorant les propos de Don Louis ou d'Elvire, il se montre provocateur et insolent, manie les tournures qui tiennent l'autre à distance (le style indirect : « *Je vous avoue que... »*, des tournures signifiant qu'il subit : « *Il m'est venu des scrupules* ») ou le doute avec le pauvre ou encore l'ironie.

Porteuse de mensonge, jeu, provocation, défi, cette parole efficace a pourtant ses limites : les personnages même simples comme Charlotte et Sganarelle en voient bien le côté manipulateur et se méfient : « *Ma foi ! j'ai à dire ..., je ne sais que dire, car vous tournez les choses d'une manière, qu'il semble que vous avez raison ; et cependant il est vrai que vous ne l'avez pas* » dit Sganarelle (acte I scène 2, p. 33, l. 169 à 171). Monsieur Dimanche et Don Carlos sont neutralisés mais pas convaincus pour autant. Enfin, la statue lui coupe la parole.

.... **Un beau parleur réduit au silence** ....

❶ En quoi consiste, dans la scène 3, la stratégie hypocrite de Don Juan ?

❷ Quel sens peut-on donner au fait que Don Juan ne parle plus mais agit ? Pourquoi Don Juan exprime-t-il ce qu'il ressent ?

❸ À qui s'adressent le spectre et la statue ?

* : *Cf.* Lexique.

Le couple Sganarelle/Don Juan

Sganarelle est constamment en scène avec Don Juan, parfois actif, parfois passif. Il a peur de son maître « *la crainte en moi fait l'office du zèle* » (I, 1) et revient sur ses propos dès que Don Juan arrive (II, 4 ; IV, 5). De fait, le maître l'invite parfois à donner son avis pour s'en amuser mais peut aussi se courroucer et menacer le valet de le faire rouer de mille coups (IV, 1). Il fait mine de vouloir lui percer la joue à coups de lancette afin de pousser Sganarelle à avouer qu'il a dérobé de la nourriture. Don Juan se sert de lui, le met dans des situations impossibles comme lorsqu'il lui demande de dire à Elvire la raison de son départ (I, 3) ou qu'il lui impose de prendre son habit pour détourner de lui le danger. Il l'envoie inviter la statue (III, 5), l'oblige à tenir compagnie à ce convive terrifiant, à l'accompagner à l'invitation donnée en retour.

Sganarelle a parfois pitié des victimes de Don Juan : Elvire (I, 3 ; IV, 6) ou les paysans, mais il se fait complice des mauvais tours que son maître joue au pauvre ou à Monsieur Dimanche quand de l'argent est en jeu. Il reste avec un maître qui le persécute mais qui, en même temps, l'impressionne. Quand son maître le laisse parler, il se croit considéré alors qu'il est simplement le témoin dont l'immoral, toujours en représentation, a besoin. La sottise de Sganarelle conforte le mépris de Don Juan pour ses semblables. Il jouit de scandaliser son valet et l'utilise pour maintenir une distance entre lui et les autres. Sganarelle reste attaché à Don Juan surtout par intérêt. Il doit être puni aussi et par où il a péché. Il sera donc le seul à qui la mort de Don Juan ne profitera pas.

.... **Un lien indissoluble** ....

❹ Étudiez la fonction de Sganarelle dans ces trois dernières scènes.

❺ D'habitude, tous les personnages se retrouvent en scène pour le dénouement*. Quel effet produit la solitude de Sganarelle ?

❻ Pourquoi la censure a-t-elle supprimé la dernière réplique* du valet : « *Mes gages !* » ?

* : *Cf.* Lexique.

❼ Observez la posture de Sganarelle interprété par Philippe Avron (p. 150) et définissez le ton sur lequel l'acteur devait prononcer cette dernière réplique.

Un dénouement merveilleux

Le châtiment ne peut plus maintenant être différé. Il s'exécutera à l'aide de jeux de scène spectaculaires, plus frappants encore que ceux des actes précédents et que le public attend impatiemment. Molière avait le projet d'un envol de la statue dans les cintres tandis que Don Juan aurait été précipité sous la scène. Ces mouvements ont évidemment une valeur symbolique et redoublent la portée des paroles prononcées. Les metteurs en scène contemporains ont parfois fait disparaître complètement la dimension surnaturelle* du dénouement. Patrice Chéreau remplace le Commandeur par deux automates symbolisant les forces politiques qui écrasent cet individualiste qui veut être libre tout seul. Il interprète ainsi le texte comme une mascarade* camouflant des enjeux tout à fait matériels.

Nous sommes à la fin d'une comédie. Pourtant le dénouement* est tragique puisqu'un personnage meurt. La punition de Don Juan est pire que celle de Tartuffe parce que ses fautes sont plus nombreuses et qu'il ne respecte rien. Mais Molière poursuit aussi son attaque contre les dévots puisque Don Juan est finalement puni pour son hypocrisie religieuse. Ainsi, l'auteur assimile les faux dévots qui le persécutent à ce libertin pervers et les menace d'un châtiment exemplaire.

.... **La scène finale** ....

❽ Comparez les effets produits par la peinture de Fragonard (p. 138) et la photo de mise en scène de la mort de Don Juan (p. 156).

❾ Quel est le rôle du spectre ? À qui s'adresse-t-il ?

❿ Quelle est la morale énoncée par la statue et le valet ? Quel est le symbolisme du feu dans cette dernière scène ?

⓫ Comment l'effet tragique est-il neutralisé, et quelles en sont les conséquences sur la signification morale du dénouement ?

* : Cf. Lexique.

**La mort de Don Juan (Francis Lalanne),
mise en scène de Jean-Luc Moreau
(théâtre des Bouffes du Nord, 1987).**

Les hypocrites

Lectures croisées et travaux d'écriture

La dimension morale d'une œuvre peut être sa finalité* essentielle dans le cas des fables, fabliaux, moralités, contes édifiants... mais elle est aussi une justification de la comédie, le rire qu'elle suscite aidant à corriger les mœurs. Le dénouement* de *Dom Juan* est moral. Il rétablit l'ordre social et moral en faisant disparaître le personnage qui le bafouait scandaleusement. Parmi les multiples méfaits de Don Juan, un travers particulier domine toute la fin de la pièce et relègue au second plan les frasques sexuelles du héros : l'hypocrisie. Molière ne désarme pas dans ce combat ouvert déjà dans *Tartuffe*. Le moraliste Jean de La Bruyère (1645-1696) reprendra dans *Les Caractères* une critique assez semblable. Il s'agit pour ces deux auteurs d'attaquer l'hypocrisie religieuse qui avait sévi à la cour. Au XVIIIᵉ siècle, l'hypocrisie prend une dimension sociale. Elle est l'arme d'une aristocratie corrompue dont *Les Liaisons dangereuses* de Choderlos de Laclos (1741-1803) illustrent les agissements.

Jean de La Bruyère, *Les Caractères*
L'œuvre de La Bruyère contient une galerie de portraits vifs et mordants qui caricaturent divers comportements. Onuphre est le type du faux dévot.

Il ne pense point à profiter de toute sa succession, ni à s'attirer une donation générale de tous ses biens, s'il s'agit surtout de les enlever à un fils, le légitime héritier : un homme dévot n'est ni avare, ni violent, ni injuste, ni même intéressé ; Onuphre n'est pas dévot, mais il veut être cru tel, et par une parfaite, quoique fausse imitation de la piété, ménager sourdement ses intérêts : aussi ne se joue-t-il pas à la ligne directe, et il ne s'insinue jamais dans une famille où se trouvent tout à la fois une fille à pourvoir et un fils à établir ; il y a là des droits trop forts et trop inviolables : on ne les traverse point sans faire de l'éclat (et il l'appréhende), sans qu'une pareille entreprise vienne aux oreilles du Prince, à qui il déro-

* : *Cf.* Lexique.

be sa marche, par la crainte qu'il a d'être découvert et de paraître ce qu'il est. Il en veut à la ligne collatérale : on l'attaque plus impunément ; il est la terreur des cousins et des cousines, du neveu et de la nièce, le flatteur et l'ami déclaré de tous les oncles qui ont fait fortune ; il se donne pour l'héritier légitime de tout vieillard qui meurt riche et sans enfants, et il faut que celui-ci le déshérite, s'il veut que ses parents recueillent sa succession ; si Onuphre ne trouve pas jour à les en frustrer à fond, il leur en ôte du moins une bonne partie : une petite calomnie, moins que cela, une légère médisance lui suffit pour ce pieux dessein, et c'est le talent qu'il possède à un plus haut degré de perfection ; Il se fait même souvent un point de conduite de ne le pas laisser inutile : il y a des gens, selon lui, qu'on est obligé en conscience de décrier, et ces gens sont ceux qu'il n'aime point, à qui il veut nuire, et dont il désire la dépouille. Il vient à ses fins sans se donner même la peine d'ouvrir la bouche : on lui parle d'*Eudoxe*, il sourit ou il soupire ; on l'interroge, on insiste, il ne répond rien ; et il a raison : il en a assez dit.

Jean de La Bruyère, *Les Caractères*, 1688.

Choderlos de Laclos, *Les Liaisons dangereuses*

Une aristocrate dépravée veut se venger d'un ancien amant en corrompant la jeune fille pure et innocente qu'il a décidé d'épouser. Elle promet à Valmont, un autre de ses anciens amants, de se donner à nouveau à lui s'il la seconde dans son projet. Dans cette lettre, Mme de Merteuil, pour affirmer sa supériorité, raconte sa vie à Valmont et lui explique comment elle est devenue ce génie pervers.

Entrée dans le monde dans le temps où, jeune encore, j'étais vouée par état au silence et à l'inaction, j'ai su en profiter pour observer et réfléchir. Tandis qu'on me croyait étourdie[1] ou distraite, écoutant peu, à la vérité, les discours qu'on s'empressait à me tenir, je recueillais avec soin ce qu'on cherchait à me cacher.

Cette utile curiosité, en servant à m'instruire, m'apprit encore à dissimuler ; forcée souvent de cacher les objets de mon attention aux yeux de ceux qui m'entouraient, j'essayai de guider les miens à mon gré ; j'obtins dès lors de prendre à volonté ce regard distrait que vous avez loué si souvent. Encouragée par ce premier succès, je tâchai de régler de même les divers mouvements de ma figure. Ressentis-je quelque chagrin, je m'étudiais à prendre l'air de la sérénité, même celui de la joie ; j'ai porté le zèle jusqu'à me causer des douleurs volontaires, pour chercher pendant ce temps l'expression du plaisir. Je me suis travaillée avec le même soin et plus de peine, pour réprimer les symptômes d'une joie inattendue. C'est ainsi que j'ai su prendre sur ma physionomie cette puissance dont je vous ai vu quelquefois si étonné.

J'étais bien jeune encore et presque sans intérêt : mais je n'avais à moi que ma pensée, et je m'indignais qu'on pût me la ravir ou me la surprendre contre ma volonté. Munie de ces premières armes, j'en essayai l'usage : non contente de ne plus me laisser pénétrer, je m'amusais à me montrer sous des formes différentes ; sûre de mes gestes, j'observais mes discours ; je réglai les uns et les autres, suivant les circonstances, ou même seulement suivant mes fantaisies : dès ce moment, ma façon de penser fut pour moi seule, et je ne montrai plus que celle qu'il m'était utile de laisser voir.

Ce travail sur moi-même avait fixé mon attention sur l'expression des figures et le caractère des physionomies ; et j'y gagnai ce coup d'œil pénétrant, auquel l'expérience m'a pourtant appris à ne pas me fier entièrement ; mais qui, en tout, m'a rarement trompée.

Je n'avais pas quinze ans, je possédais déjà les talents auxquels la plus grande partie de nos Politiques doivent leur réputation, et je ne me trouvais encore qu'aux premiers éléments de la science que je voulais acquérir.

Choderlos de Laclos, *Les Liaisons dangereuses*, 1782.

1. **étourdie** : irréfléchie.

Molière, *Le Tartuffe*

Orgon a recueilli un homme dont il admire la dévotion mais qui, en fait, a des vues sur ses biens et sur son épouse. Cléante, son beau-frère, essaie de lui ouvrir les yeux.

CLÉANTE

Je ne suis point, mon frère, un docteur[1] révéré,
Et le savoir chez moi n'est pas tout retiré.
Mais, en un mot, je sais, pour toute ma science,
Du faux avec le vrai faire la différence.
Et comme je ne vois nul genre de héros
Qui soient plus à priser que les parfaits dévots,

Aucune chose au monde et plus noble et plus belle
Que la sainte faveur d'un véritable zèle,
Aussi ne vois-je rien qui soit plus odieux
Que le dehors plâtré d'un zèle spécieux[2],
Que ces francs charlatans, que ces dévots de place,
De qui la sacrilège et trompeuse grimace
Abuse impunément et se joue à leur gré
De ce qu'ont les mortels de plus saint et sacré,
Ces gens qui, par une âme à l'intérêt soumise,
Font de dévotion métier et marchandise,
Et veulent acheter crédit et dignités
À prix de faux clins d'yeux et d'élans affectés,
Ces gens, dis-je, qu'on voit d'une ardeur non commune
Par le chemin du Ciel courir à leur fortune,
Qui, brûlants et priants, demandent chaque jour,
Et prêchent la retraite au milieu de la cour,
Qui savent ajuster leur zèle avec leurs vices,
Sont prompts, vindicatifs, sans foi, pleins d'artifices,
Et pour perdre quelqu'un couvrent insolemment
De l'intérêt du Ciel leur fier ressentiment,
D'autant plus dangereux dans leur âpre colère,
Qu'ils prennent contre nous des armes qu'on révère,
Et que leur passion, dont on leur sait bon gré,
Veut nous assassiner avec un fer sacré.

Molière, *Le Tartuffe*, 1664.

1. docteur : savant. **2. spécieux :** factice.

Corpus

Texte A : Scènes 3 et 4 de l'acte V de *Dom Juan* de Molière (p. 146, ligne 176, à p. 147, ligne 201).

Texte B : Extrait des *Caractères* de Jean de La Bruyère (p. 157 et p. 158).

Texte C : Extrait des *Liaisons dangereuses* de Choderlos de Laclos (p. 158 et p. 159).

Texte D : Scène 5 de l'acte I du *Tartuffe* de Molière (p. 159 et p. 160).

Examen des textes

❶ Dans le texte D, quels procédés oratoires* Cléante utilise-t-il ? Quel est le ton de cette tirade* ?
❷ Quels traits du comportement d'Onuphre sont détaillés dans le texte B ?
❸ Quels procédés stylistiques* rendent odieux ces traits de caractère ? (texte B)
❹ Dans le texte C, quel profit Mme de Merteuil jeune fille sut-elle tirer de la position effacée où son jeune âge la reléguait ?
❺ Dans le texte C, quels traits de son caractère Mme de Merteuil valorise-t-elle ?

Travaux d'écriture

Question préliminaire
Quels sont les avantages que les hypocrites décrits dans ces textes tirent de leur comédie ?

Commentaire
Vous commenterez le texte de Jean de La Bruyère (texte B).

Dissertation
Don Juan (V, 2) et Madame de Merteuil font un éloge paradoxal de l'hypocrisie. Cléante et La Bruyère en font le procès. Ces différentes manières d'aborder ce comportement social visent-elles à susciter chez le lecteur des réactions semblables ?

Écriture d'invention
Écrivez le dialogue de deux adolescents dont un se déclare séduit par les avantages de l'hypocrisie et a décidé de la mettre en pratique.

* : *Cf.* Lexique.

Dom Juan :
bilan de première lecture

1. Dans quel pays se déroule l'action ?
2. Combien y a-t-il de décors différents ?
3. De quel produit Sganarelle fait-il l'éloge ?
4. Combien de femmes Don Juan a-t-il séduites selon Sganarelle ?
5. Pour quelle raison Don Juan refuse-t-il la fidélité ?
6. Que reproche Done Elvire à Don Juan ?
7. Quel était le but du voyage durant lequel Don Juan fait naufrage ?
8. Que reproche Pierrot à Charlotte ?
9. À quoi Don Juan pense-t-il qu'un malade doit sa guérison ?
10. Quelle est l'activité du pauvre que Don Juan et Sganarelle rencontrent ?
11. Qui est le Commandeur ?
12. Comment Don Juan se débarrasse-t-il de Monsieur Dimanche ?
13. Comment se nomme le père de Don Juan ?
14. Comment Don Juan accueille-t-il les reproches de son père ?
15. À combien de femmes Don Juan promet-il le mariage dans la pièce ?
16. Que propose Don Juan à Elvire quand elle revient l'inciter à se repentir ?
17. De quel vice Don Juan fait-il l'éloge paradoxal ?
18. En quoi se transforme le spectre ?
19. De quoi la statue punit-elle Don Juan ?
20. Que réclame Sganarelle quand Don Juan disparaît ?

Dom Juan, une comédie du XVIIe siècle

Structure de l'œuvre

	HÉROS	ADJUVANTS	OPPOSANTS	OBJECTIFS DU HÉROS	OBJECTIFS DES PROTAGONISTES
ACTE I scène 1		Sganarelle	Gusman		Gusman annonce qu'Elvire enlevée à un couvent, épousée puis abandonnée, s'est lancée à la poursuite de Don Juan.
scène 2	Don Juan	Sganarelle		Don Juan confirme son désir d'abandonner Elvire et d'enlever une jeune femme au cours d'une promenade en mer offerte par son fiancé.	
scène 3	Don Juan	Sganarelle	Elvire		Elvire vient demander des comptes à Don Juan qui la repousse cyniquement.

	HÉROS	ADJUVANTS	OPPOSANTS	OBJECTIFS DU HÉROS	OBJECTIFS DES PROTAGONISTES
scène 1			Pierrot Charlotte		Pierrot raconte à sa fiancée comment il a sauvé un gentilhomme de la noyade.
scène 2	Don Juan	Sganarelle Charlotte		Don Juan, consolé de l'échec de son expédition par la vue de Mathurine, entreprend également la conquête de Charlotte.	
scène 3	Don Juan	Sganarelle	Charlotte Pierrot		Pierrot essaie de s'interposer entre Don Juan et sa fiancée, en vain.
scène 4	Don Juan	Sganarelle	Charlotte Mathurine		Charlotte et Mathurine se querellent, chacune déclarant être l'élue de Don Juan sans pouvoir le faire se prononcer.
scène 5	Don Juan	Sganarelle La Ramée	Charlotte Mathurine	Averti qu'il est recherché par douze hommes, Don Juan veut prendre l'habit de Sganarelle pour se dissimuler.	

ACTE II

Structure de l'œuvre

	HÉROS	ADJUVANTS	OPPOSANTS	OBJECTIFS DU HÉROS	OBJECTIFS DES PROTAGONISTES
scène 1	Don Juan	Sganarelle			Don Juan et Sganarelle ont échappé aux poursuivants. Sganarelle raconte les aventures qu'il a vécues grâce à l'habit de médecin sous lequel il s'était caché et interroge Don Juan sur ses convictions.
scène 2	Don Juan	Sganarelle, un pauvre		Les deux hommes égarés demandent leur chemin à un ermite à qui Don Juan, par provocation, promet un louis d'or s'il blasphème. Voyant un homme attaqué, Don Juan donne la pièce au pauvre « pour l'amour de l'humanité » et se porte au secours de l'agressé.	
scène 3	Don Juan	Sganarelle	Don Carlos		Les trois voleurs sont mis en fuite. L'homme égaré qu'ils avaient attaqué se révèle être un des frères d'Elvire lancé à la poursuite de Don Juan.
scène 4	Don Juan	Sganarelle	Don Carlos, Don Alonse et trois suivants		Don Alonse retrouve son frère et reconnaît Don Juan qu'il veut tuer. Mais Don Carlos, reconnaissant, s'interpose et assure qu'il demandera plus tard à son sauveteur la raison de cet abandon qui déshonore sa famille.
scène 5	Don Juan	Sganarelle		Don Juan reproche à Sganarelle de s'être caché au moment du danger. Il s'aperçoit qu'ils se trouvent à côté du mausolée du Commandeur. Ils y entrent. Don Juan, par défi, fait inviter la statue à souper. Sganarelle affolé fait part de l'acceptation. Don Juan renouvelle personnellement l'invitation que la statue accepte à nouveau.	

ACTE III

		HÉROS	ADJUVANTS	OPPOSANTS	OBJECTIFS DU HÉROS	OBJECTIFS DES PROTAGONISTES
ACTE IV	scène 1	Don Juan	Sganarelle		Don Juan refuse de se laisser impressionner par le prodige et réclame son souper.	
	scène 2	Don Juan	Sganarelle La Violette			
	scène 3	Don Juan	Sganarelle	M. Dimanche		Monsieur Dimanche, annoncé à la scène précédente par La Violette, essaie en vain de se faire rembourser la somme qu'il a prêtée à Don Juan.
	scène 4	Don Juan	Sganarelle La Violette	Don Louis		Don Louis lui succède et accable Don Juan de reproches sur son comportement indigne de sa naissance.
	scène 5	Don Juan	Sganarelle		Don Juan souhaite la mort de son père.	
	scène 6	Don Juan	Sganarelle Ragotin	Elvire		Elvire, décidée à retourner au couvent, vient exhorter Don Juan à se repentir. Séduit par ce nouvel aspect de son épouse, Don Juan tente de la garder auprès de lui pour la nuit. Elle refuse.
	scène 7	Don Juan	Sganarelle des domestiques		Don Juan s'apprête enfin à dîner quand on frappe à la porte.	
	scène 8	Don Juan	Sganarelle des domestiques	la statue du Commandeur		La statue se présente et Don Juan demande qu'on lui fasse honneur mais elle se retire après l'avoir invité à souper le lendemain. Don Juan viendra, accompagné de Sganarelle.

	HÉROS	ADJUVANTS	OPPOSANTS	OBJECTIFS DU HÉROS	OBJECTIFS DES PROTAGONISTES
scène 1	Don Juan	Sganarelle	Don Louis		Comblé par la conversion de son fils, Don Louis félicite Don Juan et part annoncer la nouvelle à la mère.
scène 2	Don Juan	Sganarelle		Don Juan révèle qu'il a choisi de faire croire à une conversion pour pouvoir continuer à vivre tranquillement la même vie immorale.	
scène 3	Don Juan	Sganarelle	Don Carlos		Don Carlos vient provoquer Don Juan en duel pour réparer l'outrage commis. Ce dernier refuse au nom de la religion.
scène 4	Don Juan	Sganarelle			Sganarelle annonce le châtiment du Ciel.
scène 5	Don Juan	Sganarelle	spectre en femme voilée	Don Juan ne se laisse pas impressionner par le spectre, tente de le frapper et s'apprête à le poursuivre.	
scène 6	Don Juan	Sganarelle	la statue		La statue arrête Don Juan et le foudroie. Sganarelle reste seul en scène réclamant ses gages impayés.

ACTE V

Dom Juan : genèse et circonstances de publication

Le personnage de Don Juan, voué à une extraordinaire fortune artistique, fut inventé par le dramaturge espagnol Tirso de Molina. Il fit jouer en 1630 une *comedia* commencée vers 1620 intitulée *El burlador de Sevilla y el convivado de piedra* (le farceur/abuseur de Séville et l'invité de pierre). Le héros évolue dans une société patriarcale mais où les femmes s'émancipent de fait. Don Juan les punit de leur immoralité et de la liberté de leurs mœurs.

À retenir

Le personnage de Don Juan
Il fut inventé par le dramaturge espagnol Tirso de Molina en 1630 et repris par Molière en 1665.

Un phénomène de mode

Il n'est pas sûr que Molière ait eu une connaissance directe de cette pièce espagnole. En revanche, il existait une version abrégée italienne : *Il Convitato di pietra* écrite par Cicognini en 1650 dont Giliberto avait réalisé une adaptation en 1652. Le spectacle était intitulé *Le Festin de Pierre* car Don Pedro y devenait le nom du Commandeur. Il avait été présenté à Paris en 1658 par les Comédiens Italiens et avait remporté un grand succès. L'année suivante, l'acteur Dorimond avait écrit et joué à Lyon une version tragi-comique* : *Le Festin de Pierre ou le fils criminel*. En 1660, Villiers, un autre acteur, avait également monté à Paris une pièce semblable dont les effets spectaculaires attiraient la foule. Dans ces versions, Don Juan gifle son père ou lui donne un coup de poing, dépouille le pauvre et tue le fiancé d'une fille qu'il a déshonorée.

* : Cf. Lexique.

La version de Molière

Une polémique existe à propos des circonstances dans lesquelles Molière a décidé de réaliser cette pièce. Certains pensent qu'elle a été réalisée dans l'urgence, pour parer au déficit inattendu occasionné par l'interdiction de *Tartuffe* et sous la pression de la compagnie du Saint-Sacrement. Molière qui n'avait pas d'autre spectacle prêt aurait repris hâtivement ce sujet à la mode, ce qui expliquerait que la pièce soit écrite en prose et non en vers et qu'elle soit de composition irrégulière.

D'autres montrent qu'il s'agit d'une pièce originale et non bâclée. En effet, le 3 décembre 1664, Molière avait commandé aux peintres Jean Simon et Pierre Prat qui n'étaient pas les décorateurs habituels du Palais-Royal des décors décrits ainsi sur un programme de 1665 : « magnifique jardin », « théâtre de mer et de rocher (qui) succède au superbe palais du premier acte », « un bois », « une chambre aussi superbe qu'on puisse en voir » , « un théâtre de statues à perte de vue » ; ceci laisserait entendre que Molière avait un projet réfléchi et bien établi.

À retenir

La querelle de *Dom Juan* L'irrégularité de la pièce a conduit certains critiques à considérer qu'elle avait été écrite à la hâte, ce que d'autres contestent.

Comparaison avec les autres sources

Molière a conservé l'étrange contresens du titre de ses prédécesseurs. Il a créé Elvire et ses frères en qui se confondent les différentes familles outragées chez Tirso de Molina ; il a mêlé en Charlotte Thisbé et Aminte.

L'action est située en Sicile comme dans les versions italiennes. Les personnages modestes ont des noms français : Charlotte, Mathurine, Francisque (le pauvre), Pierrot, M. Dimanche, La Violette, Ragotin et La Ramée. La scène du banquet y est beaucoup plus sobre ; on n'y sert ni scorpions, ni serpents arrosés de fiel et de vinaigre. Le rôle de Sganarelle est beaucoup plus étoffé que celui du *gracioso* Catherinon. Il est amplifié, à l'imitation des Italiens et plus ambigu.

Molière s'est probablement inspiré pour l'acte III d'anecdotes racontées dans les *Historiettes* de Tallemant des Réaux (1619-1690). Le prince Maurice de Nassau, éminent mathématicien, interrogé sur ses convictions alors qu'il était proche de la mort avait répondu : « Nous autres, mathématiciens, [...] croyons que deux et deux font quatre et quatre et quatre font huit. » Le même mémorialiste présente le poète Malherbe (1555-1628) ironisant comme Don Juan sur la misère d'un saint homme : ses prières semblaient bien mal reçues de Dieu vu l'état de misère dans lequel il l'abandonnait.

À retenir

L'apport de Molière
Il reprend certains personnages et certaines scènes, mais le héros et son valet gagnent en complexité.

Le destin de la pièce

Elle fut conçue, répétée et montée en quelques semaines. La première eut lieu le 15 février 1665 et obtint une très bonne recette. Molière jouait le rôle de Sganarelle, La Grange celui de Don Juan. Cependant, deux jours plus tard, la scène du pauvre disparaissait. Quinze représentations furent données jusqu'à la relâche de Pâques mais la pièce ne fut pas reprise après.

En mai 1665, circula un pamphlet de Rochemont intitulé *Observations sur une comédie de Molière intitulée Le Festin de Pierre*, où l'auteur était accusé d'impiété car le personnage principal est athée et que la défense de la religion par Sganarelle est ridicule. Malgré deux réponses anonymes qui prenaient la défense de l'auteur, Molière n'insista pas et la pièce ne fut jamais rejouée de son vivant.

Dans un spectacle monté pour présenter divers fragments de comédies de Molière, l'acteur Champmeslé reprit deux scènes de *Dom Juan*, celles avec Charlotte et avec Monsieur Dimanche.

Après la mort de Molière, sa troupe demanda à Thomas Corneille, le neveu du grand auteur de tragédie, une version expurgée et en vers qui fut jouée en 1677. Il faudra attendre 1841 pour que la pièce soit remontée à l'Odéon ; en 1847 seulement la Comédie-Française reprendra le texte de Molière.

Le 11 mars 1665, un privilège avait été accordé pour l'édition de la pièce mais il ne fut pas utilisé par Molière. Le texte fut inclus dans les *Œuvres posthumes de monsieur de Molière* éditées en 1682 par La Grange et Vivot, mais dans une version édulcorée et censurée sur l'ordre de la Reynie qui garda pour lui, toutefois, une version originale. La censure avait imposé le remplacement de « mystère » par « mariage », de « Dieu » par « Ciel », la suppression de la réplique de Don Juan : « *Je crois que deux et deux sont quatre [...] et que quatre et quatre sont huit.* » (III, 1) et la scène du pauvre (III, 2).

En 1683, parut une édition hollandaise proche sans doute de la version de Molière peut-être modifiée par

À retenir

La victoire de la cabale
Les réactions de ses ennemis incitèrent Molière à une autocensure.

La Grange. La première édition intégrale due à Auger date de 1819.

Depuis la reprise historique de la pièce par Louis Jouvet au théâtre de L'Athénée en 1947, tous les grands metteurs en scène de la seconde moitié du siècle ont eu à cœur de monter cette pièce en en faisant à chaque fois une lecture nouvelle. Ainsi, cette multitude d'interprétations montre la très grande richesse du texte de Molière.

À retenir

Résurrection de Don Juan
C'est seulement en 1847 que la pièce sera rejouée dans son intégralité.

Dom Juan, une comédie ?

Pour raconter l'histoire de Don Juan, Tirso de Molina avait écrit une *comedia*, les Italiens en avait fait une farce, Dorimond et Villiers une tragi-comédie. Molière présente *Dom Juan ou Le Festin de Pierre* comme une comédie.

Un genre indéterminé

Les règles de la comédie telles qu'elles sont édictées à l'époque n'y sont pas totalement respectées. Les personnages (sauf Monsieur Dimanche) ne sont pas des bourgeois.

Il est difficilement envisageable que l'action se déroule en vingt-quatre heures car elle a lieu dans cinq lieux différents. Les événements ne dépendent pas d'une action centrale et unique et des événements surnaturels s'y produisent qui peuvent affecter la vraisemblance.

Enfin, le ton n'est pas uniformément comique puisque la pièce se termine tragiquement par la mort du héros.

Molière semble s'être inspiré de la liberté de composition de la pièce originelle. La *comedia* espagnole du Siècle d'Or ne s'encombre pas de règles formelles strictes, elle mélange les tons et allie aisément les prodiges au réel comme le fait également le théâtre de Shakespeare ou les pièces du début du siècle telle que *L'Illusion comique* de Corneille.

De plus, Molière a plutôt en tête de réaliser une pièce à machines comme il en a mis en scène à Versailles et dont le public de l'époque raffole.

Toutefois, Molière ne renonce pas à la dimension comique. Il amplifie le rôle de Sganarelle qui reste en scène tout au long de la pièce Il jouait ce personnage à la façon bouffonne des Italiens, utilisant à plein ses dons comiques, l'effet irrésistible de ses grimaces, de ses gesticulations, postures contrefaites et des modulations de sa voix. Il faut donc plus chercher la justification du terme de comédie dans le contenu de la pièce que dans sa structure formelle.

Une tonalité ambiguë

Don Juan chez Molière n'apparaît plus comme le voyeur, le violeur, le client des prostituées qui venge les hommes de la lubricité féminine. Son modèle espagnol était guidé par les occasions scabreuses et le mépris des femmes. Lui parle plus qu'il n'agit, empêché de mener à bien ses entreprises amoureuses par la tempête ou par ceux qui sont à sa poursuite et lui demandent des comptes. Il est stimulé par l'obstacle et a le goût du défi.

La scandaleuse et inquiétante immoralité d'un impie

Chez Molière, il n'y a pas de violence physique sur scène mais la violence est verbale ; elle réside dans l'affirmation de l'immoralité, de l'irrévérence face au Ciel et de l'hypocrisie. Le héros se joue des règles sociales concernant le mariage et sur lesquelles reposent l'honneur de la femme et celui de la famille : l'obligation de s'acquitter de sa promesse, la monogamie, la fidélité. Aucune crainte religieuse ne met un frein à ses désirs. Ces engagements solennels pris devant Dieu ne

L'influence des Italiens
Molière interprétait lui-même le rôle de Sganarelle en lui donnant toute la bouffonerie des valets de la *commedia dell'arte**.

* : *Cf.* Lexique.

constituent pour lui aucune obligation ; il va même jusqu'à enlever une femme dans un couvent pour ensuite l'abandonner ; il pousse au blasphème un pauvre qui consacre sa vie à la prière. Vue sous cet angle, la tonalité de la pièce est sombre et cynique*.

Mais ce comportement peut se lire autrement. Don Juan constate que Dieu semble laisser impunies de nombreuses offenses. Pourquoi brider dès lors la puissance du désir et l'affirmation de la volonté ? Il multiplie les tests et s'enhardit à chaque fois devant l'absence de sanction. Il n'a que mépris pour les avertissements de tous ceux qui représentent la morale et ce mépris est justifié par leur médiocrité ou leur hypocrisie; il y a donc un certain héroïsme à ne pas se plier aux conventions jugées méprisables.

La dimension satirique*

Elle vise les femmes si crédules dès qu'on flatte leur vanité, qu'elles soient simples ou nobles. Tous les milieux sociaux ont leur lot : les paysans sont stupides et naïfs ; l'ermite joue plus ou moins hypocritement sur la charité des passants ; M. Dimanche ne trouve pas le moyen de récupérer son dû. L'aristocratie n'est pas épargnée : Don Carlos trouve bien pesantes les contraintes de la défense de l'honneur ; la famille d'Elvire tout comme Don Louis veulent seulement que les apparences soient sauves.

Mais il s'agit surtout de la satire du grand seigneur méchant homme, cas fréquent à l'époque de Molière. Don Juan est imbu de sa supériorité et ne respecte personne : ni son père, ni les femmes, ni ses pairs. Il n'a aucun scrupule à exposer Sganarelle à sa place à la fin de l'acte II ; il l'envoie affronter le Commandeur, le

À retenir

Un héros ambigu
Don Juan cumule tous les comportements propres à scandaliser ses contemporains mais il n'est pas dépourvu d'une certaine grandeur.

176

* : *Cf.* Lexique.

menace d'une terrible correction (IV, 1). Cependant, Sganarelle non plus n'est pas épargné : moralisateur mais intéressé, prétentieux, superstitieux et poltron, il cumule tous les travers du valet. Don Juan a aussi ses petitesses : il est « bien aise d'avoir un témoin » de chacune de ses provocations.

Les différentes nuances du comique

• *Comique de caractère*

Le public s'amuse de l'intelligence et de l'audace d'un héros qui arrive à se sortir des pires ennuis, qui perce à jour les faiblesses et les petites malhonnêtetés des autres et les exploite impitoyablement.

Il rit aussi de l'instabilité du personnage de Sganarelle singeant son maître, retournant sa veste, fuyant, revenant…

• *Comique de situation*

Molière exploite à merveille certains lieux communs de la comédie : Don Juan réussit à berner les deux paysannes, ou empêche Monsieur Dimanche de parler.

• *Comique de mots*

Enfin le langage, s'il véhicule toute la violence de la pièce, est aussi déclencheur du rire.

Le jargon des paysans en est un exemple mais plus finement Molière excelle dans le genre classique de l'éloge paradoxal où l'on utilise toutes les ressources de la rhétorique pour vanter ce qui n'a pas de valeur ou ce qui est une contre-valeur : ainsi Sganarelle se lance dans un éloge du tabac ou du vin émétique, Don Juan prononce avec brio* celui de l'infidélité ou de l'hypocrisie.

Le héros use aussi fréquemment de l'ironie* pour vanter les beautés du corps de Charlotte que pour se

> **À retenir**
>
> **La dimension comique**
> Délibérément recherchée par Molière, elle s'exprime sur des modes multiples.

* : *Cf.* Lexique.

moquer de Sganarelle, de Don Carlos, de son père et même d'Elvire.

• *Comique de geste*

Enfin, il faut imaginer tout au long de la pièce les pitreries de Molière en Sganarelle, actif même lorsqu'il est muet et qui maintenait, quelle que puisse être la gravité du sujet, la tonalité* comique.

Un dénouement* tragi-comique*

Chez Tirso de Molina, le héros est puni pour son inconduite amoureuse et ses parjures. Chez Dorimond et Villiers, il paie pour sa révolte contre son père et son pays. Molière enracine davantage son intrigue dans la réalité sociale de son temps et fait allusion aux débats religieux et à la cabale dont il est victime. En montrant la punition sévère d'un libertin, il proclame sa moralité ; mais en montrant que sous l'affectation de la dévotion peut se cacher un monstre d'immoralité, il réplique à ses agresseurs. Le méchant est justement puni mais c'est un personnage aussi inquiétant et dangereux que Tartuffe. Toutefois ce personnage n'est pas exempt d'une certaine grandeur et la sévérité de la punition peut apparaître comme une concession aux normes du moment. Le dénouement est moral mais pas heureux ; il a même une dimension tragique du fait de la mort du héros. Cependant, le dernier cri de Sganarelle qui retentit sur la scène déserte brise l'effet solennel, donne le dernier mot à des préoccupations triviales et reconvoque le rire. Le texte laisse libre cours à des interprétations multiples.

* : *Cf.* Lexique.

Pièce classique ou spectacle baroque ?

On a coutume de considérer que l'expression artistique au XVIIe siècle oscille entre les deux pôles du baroque et du classicisme.

Le baroque

On rassemble dans ce mouvement toutes sortes de tendances qui s'expriment dans l'architecture et la peinture et où domine le goût du faste, de la décoration spectaculaire et du monumental. Mazarin, grand amateur d'opéra romain, fait jouer en France *La finta pazza* en 1645 et *Orfeo* en 1647. La musique ne plut guère mais les effets extraordinaires permis par les machines de Torelli éblouirent le public.

Le baroque littéraire prend lui aussi des formes diversifiées, romanesques, théâtrales et poétiques. Expression d'une époque gravement perturbée, il traite souvent de l'instabilité, de l'illusion, de la mort. Comme les arts plastiques, la littérature baroque cultive une certaine virtuosité.

Sur les scènes de théâtre, triomphent les pièces à machine dans le goût italien. En 1648, Boyer réalise *Ulysse dans l'île de Circé*. En 1650, Torelli réalise la machinerie pour l'*Andromède* de Corneille qui mise tout sur le spectacle : Melpomène vole dans le char du soleil, Persée, monté sur Pégase, combat un monstre marin, Jupiter descend du ciel dans un trône d'or. Ce genre à succès inspirera de nombreuses pièces

À retenir

Le baroque
Cette forme de sensibilité s'est exprimée dans tous les arts de la fin du XVIe au milieu du XVIIe siècle. Elle s'oppose au désir d'ordre et de rigueur du classicisme.

médiocres mais aussi des réussites comme l'*Amphitryon* et *Psyché* de Molière qui ouvrent la voie à l'opéra français.

Dom Juan comporte certains aspects baroques. Le héros y fait l'éloge de l'inconstance en amour. Les personnages changent de vêtements et parfois même de forme dans le cas du spectre. On y voit une extraordinaire statue animée.

Les décors sont diversifiés et somptueux. Ils renvoient à des lieux naturels qui sont souvent constitués de deux plans : un palais ouvert aux promeneurs et au travers duquel on voit un jardin, un hameau de verdure avec une grotte au travers de laquelle on voit la mer, une forêt où l'on voit à l'arrière-plan le mausolée du Commandeur dont on découvre l'intérieur par un changement de vue, une pièce de la demeure de Don Juan et enfin, l'extérieur d'une ville proche de la forêt où se trouve le tombeau.

Ils réservent même des surprises comme l'ouverture du mausolée à l'acte III, la scène qui s'ouvre et aspire Don Juan à l'acte V dans un grand bruit de tonnerre, mouvement qui devait être accompagné d'un envol de la statue du Commandeur.

À retenir

L'espace baroque
Il est diversifié, changeant et réserve des surprises. Le décor de théâtre baroque cherche à émerveiller et à surprendre.

Le classicisme

Le classicisme est le nom donné par la critique littéraire à certains traits de l'esthétique imposée par Louis XIV et son entourage d'une façon assez autoritaire et exclusive entre les années 1661 et 1685. Il s'agit d'un phénomène spécifiquement français qui se manifeste par la concomitance de grandes réalisations administratives, scientifiques, philosophiques et artistiques. Dans les arts plastiques, Charles Le Brun impose aux académies, sur les traces du peintre Poussin formé à l'école romaine, une imitation de l'esthétique antique et une illustration de ses sujets mythologiques. La cohérence et l'harmonie de l'ensemble président à l'architecture de la colonnade du Louvre de Perrault, de Versailles, de la place Vendôme ou des Invalides construits à cette époque. L'art, quel que soit son domaine, devait être mis au service de l'exaltation de la grandeur du roi, exprimer sa volonté d'ordre et de magnificence. Il valorisait une certaine sévérité et prescrivait l'ordre et la clarté.

En littérature, on retrouve le même souci d'équilibre et d'harmonie. Dès le début du XVIIe siècle, les érudits tentèrent d'élaborer des principes cohérents pour guider la création artistique. Ils s'intéressèrent à la doctrine d'Aristote et aux commentaires qui en avaient été faits par les humanistes du siècle précédent. Ils affirmèrent la fonction utilitaire de l'art et sa visée intellectuelle et morale : il devait plaire mais instruire et corriger les mœurs.

À retenir

Le classicisme dans les Arts
Il magnifie le règne de Louis XIV. Il satisfait le goût de l'équilibre et de l'harmonie en cherchant à allier raison et beauté.

Instruire et plaire

Molière a bien cette visée dans *Dom Juan*. Il condamne le grand seigneur, méchant homme mais aussi les sottises et les petitesses, enfin et surtout l'hypocrisie, « ce vice à la mode ».

L'esprit d'analyse s'attache à l'étude des passions

qui ébranlent la raison. Elle est menée d'une façon qui recherche la concentration de la pensée et de l'émotion, une adéquation entre la forme et le fond, l'expression affective et son analyse intellectuelle. C'est bien le cas de cette pièce qui s'interroge sur les raisons du comportement aberrant du héros.

L'inspiration était reconnue comme nécessaire mais devait être complétée par un important travail technique : des règles fondées sur la raison furent édictées pour assurer la réussite des œuvres. Molière y souscrit dans leurs grandes lignes sans toutefois s'en sentir prisonnier. Pour plus d'efficacité, l'action est resserrée dans le temps et l'espace. Toutefois, Molière avait affirmé dans *La Critique de l'École des femmes* que la règle essentielle était celle de plaire et que le bon sens pouvait se substituer avantageusement à un formalisme pointilleux.

Les règles dans Dom Juan

Ainsi, l'action de *Dom Juan* se déroule-t-elle globalement en Sicile mais dans des lieux diversifiés. La règle est transgressée mais au profit d'une cohérence entre l'instabilité du héros et sa mobilité. Si l'action n'est pas totalement achevée en vingt-quatre heures, elle est pourtant concentrée sur les derniers sursis accordés par la justice divine.

L'intrigue, même si elle n'est pas centrée sur un objectif unique, est homogène. Elle est unifiée par l'escalade dans la provocation de Don Juan, le resserrement de la traque entreprise par ses victimes et la présence constante de Sganarelle.

À retenir

Le genre de *Dom Juan* Molière a bien écrit une comédie. S'il transgresse parfois certaines règles, il en conserve l'esprit.

Molière respecte également le précepte antique de la séparation des genres. La tonalité comique est maintenue par Sganarelle.

Aristote définissait l'art comme une imitation de la nature mais une imitation rationalisée. Les classiques considéraient qu'il ne s'agissait pas de la copier servilement mais d'en faire ressortir les aspects les plus significatifs ou les plus remarquables. Ainsi, les personnages de la pièce sont moins des individus particuliers que des illustrations vivantes de diverses catégories sociales.

Le souci de l'ordre et de l'harmonie président à la composition de la pièce. L'équilibre entre la force du texte et l'effet des machines est sauvegardé. La bienséance est toujours respectée, que ce soit dans les conflits ou les relations amoureuses. Molière ne se laisse pas tenter par le mauvais goût dont faisaient preuve ses prédécesseurs dans la scène du souper avec la statue.

Enfin, la langue des personnages est brillante, claire et habile mais sans virtuosité gratuite.

Molière respecte donc dans *Dom Juan* les grandes lignes de l'esthétique classique, sans toutefois se laisser contraindre. Cela ne l'empêche pas de recourir aux recettes éprouvées du théâtre baroque, apprécié d'un public amateur d'effets spectaculaires.

À retenir

Le génie de Molière
Il a su allier le talent d'un amuseur à celui d'un grand auteur classique.

Mise en scène

C'est Louis Jouvet, en 1947, qui relança l'intérêt pour *Dom Juan* par la mise en scène qu'il en fit dans son théâtre de L'Athénée. Tous les grands metteurs en scène du XXᵉ siècle voulurent s'y mesurer.

Jean-Luc Boutté

Jean-Luc Boutté, par exemple, considère que cette pièce représente la marche du héros vers le suicide. Il a choisi de conserver le contexte historique de la pièce de Molière qui, selon lui, montre une confrontation de milieux sociaux : « Le décor évoque les quatre éléments. La Sicile est un pays d'air et d'eau (ce que soulignent des toiles bleu sombre) de terre et de feu où le sol est asséché par le soleil, et où couve le volcan. La scène s'encombre progressivement d'objets semblant sortis d'un cataclysme ou mis en pièces (ange couché, ange assis, colonne brisée) ; on pense être dans une décharge dorée qui symboliserait la destruction du culte. »

Votre statue du Commandeur est particulièrement originale. Pouvez-vous l'évoquer ?
La statue a la dimension des autres éléments proches du sol parce qu'ils ont été soit déterrés ou démolis par un certain chaos, soit renversés par un acte humain ou surnaturel, comme nous l'avons évoqué. Dans ce contexte, la statue du Commandeur, représentée par un buste posé sur le sol, est peut-être le vestige d'un monument gigantesque, comme les autres éléments du décor peuvent représenter les débris d'un somptueux tombeau. Ce buste est surmonté d'une tête de poupée sicilienne, sorte de visage de marionnette coiffée d'un casque d'empereur romain : cet aspect baroque peut correspondre au goût du XVIIᵉ siècle.

Don Juan et la tête
du Commandeur,
mise en scène de
Jean-Luc Boutté
(Comédie-Française, 1979).

Vous avez néanmoins représenté avec beaucoup d'audace et de liberté le signe de tête de la statue.

Sganarelle voit la tête bouger puis Dom Juan la voit tomber ; et elle tombe réellement, presque fortuitement. Dans ce contexte d'éventuel séisme, ça aurait pu être aussi bien une colonne. Cela n'enlève toutefois pas à cette chute la possibilité d'une manifestation surnaturelle.

Et la venue de la statue chez Dom Juan ? sa voix ?

Dans la scène 7 de l'acte IV, Dom Juan va voir qui est devant sa porte, après le signe de Sganarelle terrifié, et il revient avec la tête de la statue, cette tête de poupée qu'il tient dans ses mains, qu'il pose sur le barreau d'un prie-Dieu, devant laquelle il met une petite assiette. Ça peut être drôle, ça peut être fantastique ; la tête de la poupée représente éventuellement l'image du « crâne », symbole de la réflexion chez l'homme qui cherche à connaître le sens de son existence ; ça pourrait aussi bien être le dernier avertissement des Dévots ou des frères d'Elvire qui seraient venus déposer cette tête devant la porte de Dom Juan et auraient frappé avant de repartir. La voix : « Dom Juan, c'est assez. Je vous invite à venir demain souper avec moi… » est la voix de l'acteur qui interprète Dom Juan. C'est la voix intérieure de Dom Juan poussé dans ses derniers retranchements, car un être humain ne peut trouver sa réponse qu'en lui-même.

Dom Juan ressort en tenant la tête de la statue dans ses mains, lorsqu'il dit à Sganarelle : « Prends ce flambeau. » Et c'est encore la voix intérieure de Dom Juan qui réplique : « On n'a pas besoin de lumière quand on est conduit par le Ciel. »

Dom Juan, édition de C. Géray et C. Judenne, Hatier, coll. « Théâtre et mise en scène », 1985.

Patrice Chéreau

Patrice Chéreau a réalisé ses premières mises en scène dès 1963. À la tête du théâtre de Sartrouville entre 1967 et 1969, il a mis le théâtre au service de la politique. C'est de cette époque que date sa mise en scène de *Dom Juan*. Il nous livre ici son interprétation de la pièce.

« *La pièce est le contraire d'une pièce mystique. La mystique n'est dans* Dom Juan *qu'une couverture idéologique en quelque sorte.* Dom Juan, *c'est l'histoire d'un libertin, d'un homme résolument traître à sa classe, et progressiste, qui vit en contradiction entre sa morale et sa situation sociale, et travaille à l'érosion du vieux monde féodal. Mais il a besoin de ce vieux monde pour vivre et coincé dans ses contradictions, c'est un chercheur qui ne peut aller bien loin dans sa destruction de la société. Au lieu d'être un immoral triomphant, il est une sorte d'intellectuel qui n'a pas beaucoup de moyens pour changer le monde et qui, à la fin, renonce et préfère se changer, lui. C'est une sorte de lâchage intellectuel.* »

Guy Dumur critique théâtral décrivait ainsi le décor :
Les éclairages à contre-jour, [...] évoquent l'hiver, la famine, les ruines. Le mobilier est misérable. On mange dans des écuelles. Don Juan est accompagné par un Sganarelle clochard et des ruffians à têtes de bagnards. D'un bout à l'autre, ils poussent une charrette chargée de lourdes malles, errants, traqués, dans un paysage désolé. Les frères d'Elvire, revêtus de longs manteaux de fourrure, crachent à la figure de Don Juan. Elvire elle-même est une hystérique partagée entre la transe mystique et la pâmoison amoureuse, secouée de sanglots et de rires. Les paysans sont d'effroyables brutes, les paysannes de lourdes femelles en chaleur. Le Commandeur ou plutôt sa statue est une sorte d'automate qui distribue des coups de poing à la façon de certains mannequins de foire... Des esclaves en loques – les paysans de La Bruyère – font tourner des machines apparentes semblables à celles qu'on voit sur les planches des vieilles encyclopédies, qui sont censées actionner le plateau tournant... On se bat beaucoup. De vrais coups. Des vraies empoignades... On casse beaucoup de meubles. La chute de don Juan s'accomplit dans la terreur.

L'Avant-scène théâtre, sept. 1976 (article de J. Colombel).

Lexique d'analyse littéraire

Aparté : Réplique brève que les autres personnages en scène ne sont pas censés entendre.

Brio : Aisance dans l'expression.

Burlesque : Comique outré ou parodie cocasse et familière d'œuvres nobles et sérieuses.

Code : Système selon lequel s'organisent les signes pour constituer un langage.

***Commedia dell'arte* :** Forme de jeu théâtral inventé en Italie à la Renaissance, qui est fondé sur l'improvisation d'acteurs incarnant des personnages types, un jeu physique outré soutenu par l'usage de masques caricaturaux.

Confident : Dans la tragédie classique, personnage à qui le héros se confie, ce qui permet au spectateur de connaître les intentions secrètes de ce dernier.

Cynisme : Expression brutale d'affirmations immorales.

Dénouement : Résolution d'une situation nouée par une série de péripéties, événements survenant de façon inattendue.

Didascalie : Indications hors dialogue données par un auteur dramatique pour préciser des intonations ou des jeux de scène.

Élément perturbateur : Événement qui modifie l'équilibre d'une situation et permet le démarrage de l'action qui sera l'objet d'une narration.

Enjeu : Ce que l'on peut gagner ou perdre dans une action.

Exposition : Ensemble des informations données par les personnages dans les premières scènes d'une pièce de théâtre, qui permettent au spectateur de situer l'action et de comprendre les enjeux de la situation.

Faire-valoir : Personnage médiocre associé à un autre qui, par effet de contraste, se trouve valorisé.

Fausse sortie : Procédé utilisé au théâtre pour créer un effet ou une péripétie ; retour inattendu d'un personnage.

Finalité : But, objectif.

Harangue : Discours visant à interpeller, mobiliser le destinataire.

Ironie : Figure de style où l'on exprime l'inverse de ce que l'on pense, de façon cependant à ce que l'interlocuteur y voit une moquerie.

Lieu commun : Idée ou procédé couramment utilisés.

Mascarade : Divertissement utilisant des déguisements.

Oratoire : Caractéristique stylistique d'un discours.

Lexique d'analyse littéraire

Pathétique : Registre ou tonalité, ensemble des procédés utilisés pour émouvoir le destinataire.

Polémique : Tonalité liée au débat d'idées vif et agressif.

Précieux : Caractéristique d'un courant social et littéraire du début du xviie siècle orienté vers le raffinement des mœurs et du langage.

Procédé stylistique : Travail sur la forme du message visant à en renforcer le sens.

Progression dramatique : Organisation des événements qui permet à une situation de se nouer puis de se dénouer.

Protagoniste : Personnage d'une pièce de théâtre ou impliqué dans l'action d'une œuvre de fiction.

Registre (ou tonalité) : Ensemble des caractéristiques d'un texte visant à créer une réaction émotionnelle particulière chez le destinataire.

Réplique : Élément d'échange verbal au théâtre.

Satirique : Tonalité, ensemble de procédés visant à critiquer en soulignant les défauts de façon caricaturale.

Situation initiale : Situation existant depuis un certain temps au point de départ d'une narration et dont la modification va entraîner un enchaînement de péripéties.

Surnaturel : Qui ne peut s'expliquer de façon naturelle.

Thèse : Affirmation d'un point de vue justifié par des arguments.

Tirade : Longue réplique.

Tonalité : Voir Registre.

Tragi-comique : Propre à la tragi-comédie, genre dramatique sérieux.

Bibliographie, filmographie

Bibliographie

Ouvrages sur Molière et son œuvre

– Georges Forestier, *Molière*, Bordas, coll. « En toutes lettres », 1990.

– O. Mongrédien, *La Vie privée de Molière*, Hachette, 1992.

– M. Vernet, *Molière côté jardin, côté cour,* Nizet, 1991.

Ouvrages sur le *Dom Juan* de Molière

– Yves Stalloni, *Dom Juan de Molière*, le défi, Ellipses, 1981.

– Olivier Leplâtre, *Étude sur Molière*, Dom Juan, Ellipses, coll. « Résonances », 1998.

D'autres *Dom Juan*

– Tirso de Molina, *El Burlador de Sevilla*, trad. P. Guenoun, Aubier-Flammarion, 1968.

– Mozart, *Don Juan*, L'avant-scène opéra n° 24.

– Henri de Montherlant, *Dom Juan ou la mort qui fait le trottoir*, Gallimard, coll. « Folio », 1972.

Ouvrages sur le mythe de *Dom Juan*

– Axel Preiss, *Le Mythe de Dom Juan*, Bordas, coll. « Thèmes littéraires », 1985.

– Jean Rousset, *Le Mythe de Dom Juan*, Colin, coll. « U prisme », 1985.

Pour mieux comprendre *Dom Juan*

– Molière, *Le Tartuffe*, 1664.

– Pascal, *Les Provinciales*.

– La Bruyère, *Les* Caractères, 1688.

Pour mieux comprendre le xviiᵉ siècle
– Pierre Goubert, *Louis XIV et vingt millions de Français*, Fayard, 1966.

Filmographie

– *Don Giovanni*, Joseph Losey (adaptation de l'opéra de Mozart, Da Ponte, 1980).
– *Le Roi danse*, Gérard Corbiau, 2000.
– *Molière* d'Ariane Mnouchkine, 1978.
– *Dom Juan*, Marcel Bluwal (adaptation pour la télévision), 1965.

Cassettes audio
– *Don Juan* à la Comédie-Française, mise en scène Francis Huster, cassettes Radio France.
– *Don Juan* au TNP (mise en scène de Jean Vilar), cassettes Hachette-Audivis.

Imprimé en Italie par «La Tipografica Varese S.p.A.»
Dépôt légal : 47639-05/04 - Collection : 49 - Édition : 03
16/8422/4

Dans la même collection: